Mr. ...
A'R
LLEIDR LLWYD

HELEN EMANUEL DAVIES

LLUNIAU MOIRA HAY

Gomer

Cyhoeddwyd gyntaf yn 2010 gan
Wasg Gomer, Llandysul, Ceredigion, SA44 4JL.
www.gomer.co.uk

ISBN 978 1 84851 163 7

Noddwyd gan Lywodraeth Cynulliad Cymru.

Argraffwyd a rhwymwyd yng Nghymru gan
Wasg Gomer, Llandysul, Ceredigion.

PO10185991

1

GWYLIAU!

Roedd Cris a'i ffrind Twm ar eu ffordd adref o'r ysgol. Cyrhaeddon nhw'r groesfan a phwysodd Cris y botwm. Safodd y ddau ar ymyl y palmant, gan aros i'r golau newid. Wrth iddo groesi, symudodd Cris ei fag ysgol o un ysgwydd i'r llall. Ew! Roedd e'n drwm. Roedd tymor yr haf wedi gorffen ac roedd Cris wedi stwffio i'w fag bob math o stwff roedd wedi'i gasglu yn ystod y flwyddyn.

Roedd Twm wedi bod yn siarad yn ddi-baid yr holl ffordd adre. Roedd ef a'i deulu'n mynd ar wyliau carafanio ac roedd Twm yn edrych ymlaen yn arw iawn. Doedd e ddim yn sylweddoli nad oedd Cris yn gwrando ar yr un gair roedd yn ei ddweud. Roedd Cris yn breuddwydio am ei wyliau ef ei hun . . .

3

O'r diwedd, gofynnodd Twm, 'Wyt ti'n mynd ar wyliau i rywle?'

'Dw i'n mynd i'r Eidal,' atebodd Cris. 'I Rufain, i weld Dad.'

'Cŵl!' meddai Twm yn gegagored.

Erbyn hyn roedden nhw wedi cyrraedd cartref Cris a ffarweliodd y ddau â'i gilydd gan drefnu cyfarfod yn nes ymlaen yn ystod y gwyliau.

Bachgen deg oed oedd Cris. Roedd ganddo wallt brown a gwisgai sbectol â ffrâm frown hefyd. Wrth iddo gerdded ar hyd y llwybr i'r drws ffrynt, roedd meddwl Cris yn llawn o freuddwydion am Rufain – am ymweld ag adeiladau enwog, am haul ac awyr las, ac am weld Dad hefyd wrth gwrs. Roedd tad Cris yn gweithio yn Rhufain am gyfnod ac yn byw mewn fflat yno, a Cris a'i fam yn mynd i aros gydag ef dros wyliau'r ysgol.

Agorodd Cris ddrws y tŷ a'i feddwl ymhell. Bang! Tarodd rhywbeth trwm yn ei erbyn nes ei fod bron â disgyn i'r llawr. Llithrodd y bag oddi ar ei ysgwydd a disgynnodd popeth allan ohono. O na! Aeth Cris ar ei liniau. Ar unwaith daeth tafod mawr gwlyb i lyfu'i wyneb a'i wddw.

'Bob! Rho'r gorau iddi, wnei di!' meddai Cris gan chwerthin.

Ci mawr blewog oedd Bob. Byddai'n disgwyl bob dydd yn eiddgar wrth y drws i Cris ddod adre o'r ysgol. Roedd e wedi dod i fyw at Cris a'i deulu pan oedd e'n gi bach ac roedd Cris a Bob yn ffrindiau mawr – ond roedd un broblem.

Pan gyrhaeddodd Bob, dim ond ci bach oedd e a gallai eistedd ar gôl Cris i gael mwythau. Ond nawr roedd e'n gi mawr – yn gi mawr iawn! Yn anffodus, roedd Bob yn dal i feddwl mai un bach oedd e ac roedd e'n dal i fod eisiau eistedd ar gôl Cris!

Wrth glywed yr holl sŵn, daeth Mam i mewn o'r ardd gefn.

'Haia, Mam!' meddai Cris, gan ddechrau casglu rhai o'r pethau oedd wedi disgyn o'i fag. Gorweddodd ar y llawr ac edrych o dan y cloc mawr yn y gornel. A! Dyna'i lyfr gwaith cartref. Ceisiodd Bob wthio i mewn ato hefyd, a'r cwbl a welai Mam oedd dau ben-ôl wrth droed y cloc.

Cododd Cris ar ei eistedd. 'Wyt ti wedi prynu'r tocynnau eto, Mam?' gofynnodd.

'Wel . . . ddim yn hollol . . .' meddai Mam. Roedd ei llais yn swnio'n rhyfedd.

Edrychodd Cris arni'n gyflym. 'Be sy'n bod? Wyt ti wedi siarad gyda Dad?'

'Do, ond . . .'

'Pryd ydyn ni'n mynd?'

Ochneidiodd Mam. 'Mae pethau wedi newid, Cris. Mae rhywbeth wedi digwydd.'

'Rhywbeth wedi digwydd? *Be* sy wedi digwydd?

Bob, rho lonydd i fi!' meddai, wrth i Bob dynnu wrth ei grys-T.

'Ffoniodd Tad-cu,' meddai ei fam. 'Mae Mam-gu'n sâl ac mae e'n poeni amdani. Mae'r meddyg yn dweud bod angen gwyliau arni. Mae Tad-cu wedi trefnu gwyliau i'r ddau, ond mae angen rhywun i edrych ar ôl y siop tra maen nhw i ffwrdd.'

Syllai Cris ar Mam, ond roedd hi'n edrych ar y llawr.

'Cris,' meddai, 'dw i'n gwybod dy fod ti wedi edrych ymlaen at fynd i Rufain, ond dw i wedi dweud wrth Tad-cu y gwnawn ni ofalu am y siop tra mae e a Mam-gu'n cael seibiant bach.'

'O Mam! Naaaa!' gwaeddodd Cris. 'Dw i eisiau mynd i Rufain! Dw i wedi bod yn edrych ymlaen! Dyw hyn ddim yn deg!'

Teimlai ddagrau'n llenwi ei lygaid. Neidiodd ar ei draed gan sathru dros y llanast ar y llawr a rhedeg i fyny'r grisiau i'w stafell wely rhag i Mam ei weld yn crio. Caeodd y drws â chlep a gorwedd ar ei wely gan dynnu'r cwrlid dros ei ben. All Mam ddim gwneud hyn, meddyliodd. Dw i eisiau mynd i Rufain a gweld Dad a . . .

Yn sydyn clywodd sŵn siffrwd wrth y drws. Bob oedd yn crafu am gael dod i mewn. 'Cer i

7

ffwrdd!' gwaeddodd Cris yn gas. Ond doedd Bob ddim yn gwrando. Gan ochneidio'n uchel, cododd Cris a mynd i agor y drws. Rhuthrodd Bob i mewn a'i gynffon yn chwifio fel melin wynt. Doedd Cris ddim yn gallu teimlo'n drist pan oedd Bob gydag e!

Ymhen tipyn aeth Cris a Bob i lawr y grisiau gyda'i gilydd. Roedd Mam yn y gegin erbyn hyn yn paratoi swper.

'Gallwn ni fynd i Rufain yn nes ymlaen yn y gwyliau, ti'n gwbod,' meddai'n garedig, 'ond rhaid i ni helpu Tad-cu a Mam-gu gyntaf.'

'Be sy'n bod ar Mam-gu?' gofynnodd Cris. 'Do'n i ddim yn gwybod ei bod hi'n sâl.'

'Mae hi wedi bod yn gofidio. Mae pethau rhyfedd wedi bod yn digwydd . . .'

'Pa bethau rhyfedd?' gofynnodd Cris yn syn.

'Mae'n stori hir. Fe eglura i fory. Mae llawer i'w wneud heno. Rhaid i ni baratoi i gychwyn ben bore fory.'

2

AR Y FFORDD

Y bore wedyn, deffrodd Cris yn gynnar. Doedd ganddo ddim dewis, oherwydd neidiodd Bob ar ei fol! Roedd Bob wedi gweld y cesys yn cael eu pacio, ac roedd e'n llawn cyffro. Roedd Bob wrth ei fodd yn mynd ar wyliau ac roedd am wneud yn hollol siŵr nad oedd e'n cael ei adael ar ôl. Cadwodd lygad barcud ar bopeth roedd Cris a Mam yn ei wneud, hyd yn oed wrth iddo lowcio'i frecwast o'i bowlen fwyd. Bob tro roedd Mam yn agor y drws cefn i fynd â rhywbeth allan i'r car, roedd Bob yn rhuthro allan hefyd ac yn neidio i mewn i'r gist.

O'r diwedd, cafodd Mam lond bol arno a phenderfynu cloi Bob yn y tŷ. Pan ddaeth hi'n ôl i mewn, gwelodd bentwr anferth o bethau ar lawr y gegin. Roedd Bob wedi penderfynu 'helpu' gyda'r pacio ac wedi cario pethau yno o

9

bob rhan o'r tŷ. Yn y pentwr roedd brws y toiled, mat o'r stafell molchi, dau frws gwallt a dillad budr o'r fasged olchi!

O'r diwedd roedden nhw'n barod i gychwyn. Eisteddai Bob a Cris yn y sedd gefn, a chyn gynted ag y cychwynnodd y car syrthiodd Bob i gysgu gan bwyso'i ben ar lin Cris a chwyrnu'n braf. Roedd llawer o draffig ar y ffordd allan o'r ddinas, ac roedd yn rhaid i Mam ganolbwyntio ar y gyrru. Eisteddodd Cris yn dawel gan geisio dyfalu tybed beth oedd y pethau rhyfedd oedd wedi digwydd i ddychryn Mam-gu.

Roedd Tad-cu a Mam-gu'n byw yn Llanadar, tref ar lan y môr. Roedden nhw'n cadw siop hen bethau yno ac yn byw yn y fflat uwchben y siop. Roedd eu tŷ nhw yn un o ddau hen dŷ oedd yn agos iawn at y traeth a'r twyni tywod. Yn ystod misoedd yr haf, byddai llawer o ymwelwyr yn ymweld â'r siop. Roedd Tad-cu wrth ei fodd yn casglu hen bethau, ac roedd e bob amser yn chwilio am bethau diddorol!

Byddai Cris yn cael hwyl yn edrych o gwmpas y siop oherwydd byddai'n dod ar draws pob math o bethau rhyfedd yno. Un tro roedd rhes o bennau llewod a cheirw wedi'u stwffio ar hyd un wal gyfan! Dro arall roedd yno gasgliad o hen

10

deganau a gêmau bwrdd. Cafodd Cris hwyl yn chwarae â'r rheini!

O'r diwedd roedd Mam wedi gyrru'r car drwy strydoedd prysur y ddinas. Erbyn iddyn nhw gyrraedd y draffordd roedd y ddau'n gallu sgwrsio. Gofynnodd Cris, 'Pa bethau rhyfedd sy wedi bod yn digwydd i Mam-gu?'

'Wel,' meddai Mam yn araf, 'dw i ddim yn hollol siŵr. Mae ofn arni . . .'

'Ofn beth?' gofynnodd Cris yn syn.

'Mae hi'n dweud ei bod hi'n clywed synau rhyfedd yn ystod y nos ac yn meddwl bod pobl yn cerdded o gwmpas y tŷ weithiau. Ond dyw hi byth yn gweld neb.'

Edrychodd Cris yn gegagored. 'Ysbrydion?' gofynnodd. 'Wyt ti'n meddwl bod ysbrydion yn y tŷ?'

'Twt lol, wrth gwrs nad oes ysbrydion yno,' meddai Mam. Ond doedd hi ddim yn swnio'n sicr iawn.

'Mae 'na rywbeth arall hefyd,' meddai. 'Mae rhyw gwmni mawr eisiau adeiladu fflatiau ar lan y môr. Maen nhw eisiau prynu tŷ Tad-cu a Mam-gu a'i ddymchwel er mwyn gwneud lle i'r fflatiau. Ond dydyn nhw ddim eisiau gwerthu, ac mae'r holl ofid wedi gwneud Mam-gu'n sâl.'

Eisteddodd Cris yn dawel. Roedd e wedi'i synnu. Doedd e ddim yn gwybod beth i'w ddweud.

Roedd y daith yn hir ac roedd hi bron yn amser swper pan gyrhaeddon nhw. Parciodd Mam y tu allan i'r siop. Sylwodd Cris ar yr arwydd uwchben y drws: 'Plas yr Wylan. Siop Hen Bethau.'

Roedd hi'n noson braf, ac wrth ddod allan o'r car edrychodd Cris draw i gyfeiriad y môr a'r traeth. Gwelodd yr haul yn machlud yn goch, a gallai glywed y gwylanod yn galw ar ei gilydd a'r tonnau mân yn taro'n ysgafn ar y traeth. Ar ben pella'r traeth safai hen gastell ar ben clogwyn. Ond chafodd Cris ddim amser i sylwi ar unrhyw beth arall oherwydd yn sydyn agorodd drws y siop ac roedd Tad-cu yno'n eu croesawu nhw.

'Dw i wedi bod yn edrych allan amdanoch chi,' meddai. 'Dewch i mewn, dewch i mewn.'

Rhedodd Cris i fyny'r grisiau i'r fflat i ddweud 'Helô' wrth Mam-gu. Gwelodd ar unwaith mor flinedig roedd hi'n edrych. Ond er ei bod hi'n welw ac yn drist, roedd hi'n falch iawn o weld Cris a'i fam.

'Gobeithio eich bod chi bron â llwgu,' meddai gan wenu. 'Dw i wedi paratoi swper sbesial i ni.' Edrychodd Cris ar y bwrdd. Roedd Mam-gu wedi paratoi gwledd oedd yn ddigon i dynnu dŵr o'i ddannedd. Brechdanau ham ac wy a thomato, llond powlen o fefus a hufen, a chacen siocled enfawr!

Doedd Mam-gu ddim wedi anghofio am Bob chwaith – roedd asgwrn mawr blasus yn ei ddisgwyl ar y llawr yn y gornel. Wrth i'r teulu eistedd o amgylch y bwrdd yn bwyta, gwnaeth Mam-gu ei gorau glas i edrych yn hapus, ond sylwodd Cris nad oedd hi'n bwyta llawer. Roedd Tad-cu'n egluro wrth Mam beth oedd angen iddi ei wneud tra oedd e i ffwrdd ar wyliau.

'Mae angen cael rhywun yn y siop rhwng hanner awr wedi naw a chwech o'r gloch bob dydd,' meddai. 'Bydd Barri'n helpu, wrth gwrs . . .'

'Pwy yw Barri?' gofynnodd Cris.

'Mae Barri'n fy helpu i yn y siop,' meddai Tad-cu.

Yr eiliad honno, digwyddodd Cris edrych ar Mam-gu. Roedd ei llygaid yn llawn ofn!

'Mam-gu? Be sy'n bod?' gofynnodd ar unwaith.

'Dim, dim byd o gwbl,' meddai Mam-gu'n frysiog. Cododd a mynd i'r gegin i lenwi'r tebot. Ond roedd Cris yn siŵr fod rhywbeth o'i le. Beth oedd yn codi ofn ar Mam-gu? Ai ofn Barri oedd arni? Rhaid i fi gadw golwg ar Barri, meddyliodd Cris.

'Cris, mae gen i rywbeth i ti,' meddai Tad-cu gan gerdded draw i gornel y stafell. 'Dw i wedi dod ar draws llond bocs o hen lyfrau, ac roedd hwn yn eu canol nhw.' Estynnodd lyfr bach i Cris. Agorodd Cris y llyfr, yna edrychodd yn syn

14

ar Tad-cu. Roedd y tudalennau'n wag. Y cwbl oedd arnyn nhw oedd dyddiad ar ben pob tudalen! Ai chwarae jôc oedd Tad-cu?

Meddai Tad-cu, 'Dyddiadur yw e, dyddiadur arbennig. Does dim blwyddyn arno, dim ond mis a dyddiad, felly galli di ei ddefnyddio unrhyw flwyddyn. Dw i'n gwybod dy fod ti'n colli cwmni dy dad ers iddo fynd i Rufain i weithio. Os gwnei di sgrifennu bob dydd yn y dyddiadur, galli di fynd ag e gyda ti pan fyddi di'n mynd i Rufain, a bydd dy dad yn gallu darllen dy holl hanes.'

Doedd Cris ddim yn siŵr. 'Dw i erioed wedi cadw dyddiadur,' meddai'n ansicr. 'Fyddwn i ddim yn gwybod beth i'w ddweud.'

'Dw i'n cadw dyddiadur,' meddai Tad-cu. 'Dw i'n sgrifennu ynddo fe bob dydd. Ysgrifenna fel petait ti'n siarad â ffrind.'

'Pa ffrind?' gofynnodd Cris.

'Mr Dyddiadur,' meddai Tad-cu.

'Beth am "Mr D"?' meddai Mam gan chwerthin.

Meddyliodd Cris. 'Mr D,' meddai. 'Syniad da. Fe wna i sgrifennu at Mr D.'

Wrth i Cris gymryd y dyddiadur oddi ar Tad-cu, llithrodd y llyfr o'i law a disgyn i'r llawr. Estynnodd Cris i'w godi a sylwi ar ddarn bach o bapur oedd wedi syrthio allan ohono. Roedd rhywbeth wedi'i ysgrifennu ar y darn papur. Darllenodd Cris:

Os sefyll wyt ar lwch y llawr
  A syllu lan i'r awyr fawr
O'r twyllwch, golau ddaw ryw ddydd
  A'r deryn aur fydd eto'n rhydd.

Edrychodd Cris yn syn ar Tad-cu, ond dim ond chwerthin wnaeth e.

'O,' meddai, 'ro'n i wedi anghofio am hwnna. Roedd y pennill wedi'i adael yn y bocs llyfrau. Pennill Castell Efa yw e.'

'Castell Efa?' Roedd Cris yn awyddus i wybod mwy.

'Yr hen gastell sy ar y clogwyn y pen arall i'r bae. Mae'r pennill yn sôn am gyfrinach trysor Castell Efa.' Chwarddodd Tad-cu eto. 'Dyna dasg i ti – beth am i ti ddatrys cyfrinach trysor Castell Efa cyn i ni ddod yn ôl o'n gwyliau?'

16

3

Gorffennaf 25   Nos Lun

Annwyl Mr D,

Dyma fi'n sgrifennu yn y dyddiadur am y tro cyntaf. Dw i'n sgrifennu yn fy ngwely cyn mynd i gysgu.

Mae fy stafell wely i yn yr atig, reit o dan y to! Mae Tad-cu a Mam-gu'n byw ar y llawr cyntaf, uwchben y siop, ac mae'n rhaid i fi ddringo mwy o risiau i gyrraedd fy stafell wely yn yr atig. Mae fy ngwely i reit o dan y ffenest yn y to. Dw i ddim wedi cau'r llenni, felly dw i'n gallu gwylio'r sêr wrth i mi sgrifennu. Mae Bob yn cysgu yn fy stafell i hefyd, mewn basged ar y llawr. Wnes i ddim cysgu llawer neithiwr – roedd Bob yn chwyrnu'n rhy uchel! Ond ro'n i'n falch o'i gwmni, yn enwedig wrth feddwl am y synau rhyfedd roedd Mam-gu wedi'u clywed. Chlywais i ddim smic – na gweld ysbryd chwaith.

Reit, Mr D, dw i wedi bod yn brysur ac mae gen i lawer iawn i'w ddweud!

Ddoe roedden ni'n helpu Mam-gu a Tad-cu i bacio a pharatoi ar gyfer eu gwyliau, a bore 'ma roedd yn rhaid

17

codi'n gynnar i ddweud 'Hwyl fawr' wrthyn nhw. Maen nhw wedi mynd ar eu gwyliau i'r Alban am bythefnos. Dw i'n poeni am Mam-gu. Mae hi'n welw ac yn nerfus, ac mae ei dwylo'n crynu drwy'r amser. Gobeithio y bydd hi'n teimlo'n well pan fydd hi'n dod yn ôl.

Ar ôl i'r tacsi fynd â nhw i'r orsaf, agorodd Mam y siop ac es i â Bob am dro i lan y môr. Roedd Bob wrth ei fodd! Rhedodd o un pen i'r traeth i'r llall. Rhedais innau ar ei ôl, ac wrth i mi gyrraedd pen pella'r traeth dyma fi'n edrych i fyny ar Gastell Efa ar ben y clogwyn ac yn cofio am y pennill ar y darn papur. Hoffwn i wybod mwy am gyfrinach trysor Castell Efa. Gartre, byddwn i wedi edrych ar y we, ond does dim cyfrifiadur gan Tad-cu. Tybed oes yna lyfr yn y siop yn sôn am Gastell Efa? Rhaid i fi edrych.

Mae 'na broblem arall hefyd – does dim teledu yma. Mae teledu Mam-gu a Tad-cu wedi torri, a dydyn nhw ddim wedi trafferthu cael ei drwsio. Sut yn y byd ydw i'n mynd i ddiodde heb wylio fy hoff raglenni dros y gwyliau?

Ar ein ffordd yn ôl o'r traeth roedd yn rhaid i fi roi Bob ar ei dennyn. Roedden ni bron â chyrraedd adre pan ddigwyddodd rhywbeth rhyfedd. Roedden ni'n pasio'r tŷ drws nesa pan ddaeth pen mawr llwyd i'r golwg dros y wal yn sydyn a syllu arnon ni â dau lygad mawr du. Roedd Bob bron â neidio allan o'i groen a dechreuodd gyfarth a chyfarth a chyfarth. Wnaeth y pen ddim symud, dim ond syllu arnon ni. Yna'n sydyn agorodd ei geg a brefu, 'Hî-hô!

18

Hî-hô!' Roedd y sŵn yn annaearol. Trodd Bob ar ei sawdl a chuddio tu ôl i nghoesau i – dydy e ddim yn gi dewr iawn! Do'n i ddim yn gallu symud, achos roedd y tennyn wedi plethu'n dynn am fy nghoesau.

'Hî-hô! Hî-hô!' Am sŵn! Ond yna dyma lais yn galw, 'Lolipop! Bydd dawel! Lolipop!' Rhedodd merch allan o'r tŷ tuag aton ni. Diflannodd y pen yr ochr arall i'r wal a symud tuag at y ferch. Erbyn hyn ro'n i'n gallu gweld mai asyn oedd yno, a'i fod wedi'i glymu â rhaff hir wrth un o'r coed yn yr ardd. Dyma fi'n llwyddo i gael fy hun yn rhydd o'r tennyn a gafaelais yn dynn yng ngholer Bob. Roedd hwnnw'n sbecian allan yn ofnus o'r tu ôl i nghoesau bob hyn a hyn. Stopiodd y ferch o'n blaenau ni, ac am eiliad safodd pawb yn syllu ar ei gilydd heb ddweud dim – fi, hi, Bob a'r asyn. Roedd pawb wedi colli'u gwynt yn llwyr!

Yna meddai'r ferch, 'Helô. Heledd ydw i. Mae'n ddrwg gen i am Lolipop.'

Roedd Heledd tua'r un oed â fi ac roedd ganddi wallt coch hir. Roedd gwên ddireidus ar ei hwyneb.

'Haia,' atebais, gan wenu'n ôl. 'Cris ydw i. Doedd Lolipop ddim ar fai. Bob ddechreuodd wneud sŵn. Dy asyn di ydy Lolipop?'

'Ie,' atebodd Heledd. 'Roedd e'n un o'r asynnod oedd yn rhoi reid i blant ar y traeth, ond aeth e'n rhy hen a llwyddodd Heulyn a fi i berswadio Dad i'w brynu i ni.'

'Cŵl! Cael dy asyn dy hun! Dim ond ci sy gen i. Dw i'n

19

aros yn nhŷ Tad-cu drws nesa. Mae Mam a fi'n gofalu am y siop tra bod Tad-cu a Mam-gu i ffwrdd.'

'Dw i'n gwbod,' meddai Heledd. 'Welson ni chi'n cyrraedd – Heulyn a fi. Heulyn yw fy mrawd. Byddai'n hoffi cyfarfod â ti. Ddoi di draw i'n gweld ni rywbryd?'

'Grêt,' atebais. 'Falle gallwn ni chwarae gêm o bêl-droed neu rywbeth.'

'Na,' meddai Heledd. 'Dyw Heulyn ddim yn gallu cerdded. Mae'n defnyddio cadair olwyn.'

'Ydy e wedi cael damwain?' gofynnais.

'Ydy,' atebodd Heledd. 'Syrthiodd allan o'r goeden falau un diwrnod, ac ers hynny mae ei gefn yn brifo a does dim teimlad yn ei goesau. Dyw'r meddygon ddim yn deall pam, ond dyw e ddim yn gallu cerdded. Wnei di ddod draw fory?'

Wrth gwrs, ro'n i wrth fy modd a dw i wedi addo mynd draw yn y bore.

Ro'n i ar dân eisiau dweud hyn i gyd wrth Mam a dyma fi a Bob yn rhuthro i mewn i'r siop gan weiddi, 'Hei Mam . . .'

'Dim cŵn yn y siop!' gwaeddodd llais cas o rywle. 'Allan ar unwaith!'

Y! Pwy oedd yn galw? Do'n i ddim yn gallu gweld neb. Roedd hi'n dywyll yn y siop.

'Allan!' meddai'r llais.

Yna gwelais rywun yn dod tuag aton ni o gefn y siop. Dyn tal, main oedd e â gwallt hir llwyd a thrwyn hir. Roedd

20

e'n gwisgo siwmper lwyd, a honno'n hongian yn llac o'i ysgwyddau ac O! roedd golwg sur arno. Roedd e'n syllu'n gas ar Bob felly dyma fi'n gafael yn dynn yng ngholer Bob rhag iddo ddechrau cyfarth.

'Mae Bob a fi'n aros yn y fflat i fyny'r grisiau,' dywedais. 'Mae Mam yn edrych ar ôl y siop i Tad-cu.'

'Hy!' meddai'r dyn yn sarrug. 'Does dim cŵn i fod yn y siop.'

Ar y gair, daeth Mam i lawr y grisiau o'r fflat. 'Helô, Cris,' meddai, 'rwyt ti'n ôl. Barri, dyma Cris, fy mab. Cris, dyma Barri, sy'n helpu Tad-cu.'

Barri! Wrth gwrs! Ych a fi – am ddyn diflas! Doedd dim rhyfedd nad oedd Mam-gu'n ei hoffi!

Meddai Barri'n biwis wrth Mam, 'Ddylai'r ci 'ma ddim bod yn y siop. Mae pethau gwerthfawr yma. Gallai wneud llawer o ddifrod.'

Doedd Mam druan ddim yn gwybod beth i'w ddweud, ond gafaelais i'n dynnach fyth yn nhennyn Bob a'i dynnu at y grisiau. 'Paid â phoeni, Mam,' dywedais. 'Fe a' i â Bob i fyny i'r fflat.'

Erbyn hyn roedd Bob wedi blino'n lân. Llowciodd ddiod o ddŵr a syrthio i gysgu ar lawr y lolfa. Yn fuan roedd e'n chwyrnu'n braf. Beth o'n i'n mynd i'w wneud am weddill y bore? Roedd Mam yn brysur yn y siop, a do'n i ddim eisiau mynd yn ôl i lawr tra bod Barri yno.

Dim teledu, dim cyfrifiadur – roedd hwn yn mynd i fod

21

yn fore hir! Penderfynais fynd i chwilio yn rhai o'r cypyrddau am rywbeth diddorol i'w wneud. Roedd pob cwpwrdd yn llawn dop o hen lyfrau llychlyd, bocseidiau o lestri, a phapurach o bob math. Bues i'n chwilio am oesoedd, ond dim ond un peth diddorol welais i – bocs o jig-sos. Yna yng nghornel bellaf y cwpwrdd, bron fel petai wedi cael ei guddio o'r golwg, gwelais lyfr bach oedd yn edrych yn hen iawn. Tynnais e allan a darllen y teitl – *Cyfrinachau Llanadar*. Wrth i mi edrych drwy'r llyfr yn gyflym, gwelais lun o Gastell Efa. Hm. Rhaid i fi ddarllen hwn, dywedais wrtha i fy hun, gan roi'r llyfr ar ben y bocs.

O wel, meddyliais – cystal i fi roi cynnig ar un o'r jig-sos. Ond erbyn canol dydd ro'n i wedi cael llond bol arno. Roedd y darnau mor fân ac roedd yna gannoedd ohonyn nhw! Es i draw at y ffenest i edrych allan – a dyma fi'n gweld Barri'n cerdded i lawr y stryd. Rhaid ei fod e wedi mynd am ei ginio. Dyma fy nghyfle i fynd lawr i'r siop. Arhosais am funud neu ddwy rhag ofn i Barri ddod yn ôl, yna i lawr â fi.

'Haia, Mam!' dywedais wrth gerdded i lawr y grisiau.

Ond doedd Mam ddim yn gwrando. Roedd rhywun arall yn y siop ac roedd holl sylw Mam wedi'i hoelio arni hi. Dynes â gwallt melyn oedd hi. Roedd hi'n gwisgo siwt ddu ac roedd ganddi gês lledr yn ei llaw.

Mewn llais uchel, croch, roedd hi'n dweud wrth Mam, 'Rydyn ni'n benderfynol o adeiladu fflatiau yma, ac mae'n

22

rhaid i ni gael prynu'r tŷ yma. Dw i wedi cynnig pris teg i'ch rhieni, ond maen nhw'n styfnig iawn. Dyma fy nghynnig olaf. Os ydych chi'n ddoeth, byddwch chi'n eu perswadio i dderbyn y cynnig.'

Trodd ar ei sawdl a mynd at y drws. Cyn iddi fynd allan, edrychodd yn ôl a dweud wrth Mam, 'Bydd yn rhaid iddyn nhw ildio yn y pen draw. Dw i bob amser yn mynnu cael fy ffordd.'

Ac allan â hi, gan gau'r drws â chlep uchel.

'Pwy oedd honna, Mam?' gofynnais.

Roedd golwg ofidus ar Mam. 'Ella Higgins yw ei henw hi,' meddai. 'Mae'n gweithio i'r cwmni adeiladu ac yn ceisio gorfodi Tad-cu a Mam-gu i werthu'r tŷ iddi.'

'Dyw hynna ddim yn deg!' dywedais.

Ochneidiodd Mam. 'Mae'n anodd. Dyw'r siop ddim yn gwneud digon o arian, ac mae Ella Higgins wedi cynnig pris da am y lle. Ond mae Mam-gu wedi byw yma er pan oedd hi'n ferch fach. Petai hi'n gorfod symud oddi yma, byddai'n torri'i chalon.'

Wel Mr D, dw i wedi penderfynu. Dyw Ella Higgins ddim yn mynd i orfodi Tad-cu a Mam-gu i werthu eu cartref. Rhaid i mi ei stopio hi rywsut. A rhaid i mi gadw llygad barcud ar Barri hefyd. Ych a fi! Mae 'na rai pobl ddiflas iawn yn Llanadar. Ond o leia dw i'n edrych ymlaen at fynd drws nesa i weld Heledd a Heulyn fory.

Nos da, Mr D.

23

4

HELEDD A HEULYN

Y bore wedyn roedd Cris yn hwyr yn deffro. Pan agorodd ei lygaid roedd y stafell yn dal yn dywyll, ac wrth edrych i fyny at y ffenest yn y to, gwelodd ei bod yn glawio'n drwm. Yn sydyn cofiodd am Bob ac edrychodd draw at ei fasged. Roedd y fasged yn wag! Ble roedd Bob wedi mynd? Yn sydyn, daeth syniad ofnadwy i feddwl Cris. Beth petai Bob wedi deffro yn y nos a mynd i lawr i'r fflat, yna i'r siop? Beth petai Barri'n dod ar ei draws . . ? Neidiodd Cris allan o'r gwely a rhuthro i lawr y grisiau a'i galon yn ei wddf. Ond yna rhoddodd ochenaid o ryddhad. Roedd Mam yn eistedd wrth y tân yn y fflat yn mwynhau paned o goffi, ac yno'n swatio wrth ei thraed gorweddai Bob.

'Bore da,' meddai Mam. 'Codais i'n gynnar a gollwng Bob allan i'r ardd gefn i chwarae am dipyn. Roeddet ti'n cysgu'n drwm. Rhaid i fi fynd i agor y siop yn y funud.'

'Beth am Barri?' gofynnodd Cris.

'Dydy Barri ddim yn dod i mewn tan yn hwyrach heddiw,' atebodd Mam.

'Ers faint mae e wedi bod yn gweithio i Tad-cu?' gofynnodd Cris, gan weld cyfle i holi rhywfaint amdano.

'Dw i ddim yn siŵr,' atebodd Mam. 'Dw i'n cofio Tad-cu'n sôn amdano rai misoedd yn ôl, ond do'n i ddim wedi cyfarfod ag e tan ddoe. Roedd e'n dweud bod gydag e lawer o brofiad o weithio mewn siopau hen bethau.'

'Dw i ddim yn hoffi Barri,' meddai Cris, 'a dw i ddim yn meddwl bod Mam-gu'n ei hoffi chwaith. A dweud y gwir, dw i'n meddwl bod ofn Barri ar Mam-gu.'

'Ofn Barri? Paid â siarad yn wirion,' atebodd Mam. 'Hwyrach ei fod e ychydig yn swta weithiau, ond mae'n gwneud ei orau i'm helpu i yn y siop. Roedd e'n cynnig edrych ar ôl y lle ar ei ben ei hun os byddet ti a fi eisiau cymryd ychydig o wyliau.'

Hm. Doedd Cris ddim yn gwybod beth i'w feddwl. Wrth fwyta'i frecwast meddai wrth

Mam, 'Dw i'n mynd drws nesa heddiw i weld Heulyn a Heledd.'

'Da iawn,' meddai Mam gan wenu. 'Gwell i ti adael Bob fan hyn. Mae e wedi mynd i gysgu'n barod ar ôl cael llond bol o frecwast. Ond paid â bod yn rhy hir. Bydd yn rhaid i fi fynd i lawr i'r siop, cofia.'

Ymhen ychydig amser roedd Cris yn sefyll y tu allan i dŷ Heledd a Heulyn. Arhosodd am eiliad gan edrych o gwmpas am Lolipop yr asyn, ond doedd dim golwg ohono yn unman. Rhaid ei fod yn cuddio rhag y glaw yn rhywle. Cerddodd Cris trwy'r glwyd. Drosti roedd bwa mawr o haearn du â rhosod gwyn yn tyfu'n wyllt drosto. Syrthiodd dafnau o law o'r llwyn rhosod ar Cris wrth iddo gerdded o dan y bwa at y drws. Sylwodd ar enw'r tŷ: 'Plas y Golomen'. Gwenodd. 'Plas y Golomen' oedd hwn a 'Phlas yr Wylan' oedd tŷ Tad-cu. Pan fydda i wedi tyfu, meddyliodd, bydda i'n rhoi'r enw 'Castell yr Eryr' ar fy nhŷ i. Roedd y tŷ'n hen ac yn edrych fel petai heb gael ei beintio ers blynyddoedd. Canodd Cris y gloch a chlywodd sŵn traed yn rhedeg i ateb y drws.

Heledd oedd yno. 'Haia,' meddai wrtho. 'Mae Heulyn yn disgwyl amdanat ti. Ble mae Bob?'

'Yn cysgu wrth y tân,' atebodd Cris, gan

26

ddilyn Heledd i stafell yng nghefn y tŷ. Eisteddai bachgen o flaen cyfrifiadur â'r sgrin fwyaf a welodd Cris erioed. Pefriodd ei lygaid wrth edrych arni. Ew! Welodd e erioed beiriant cystal. Trodd y bachgen yn ei gadair a gwenu ar Cris. Gwelodd Cris mai cadair olwyn oedd hi a bod y bachgen yn gallu ei rheoli â botwm ar y fraich.

'Haia, Cris,' meddai'r bachgen. 'Dywedodd Heledd dy fod ti'n dod draw. Dw i wedi bod yn edrych ymlaen. Wyt ti'n hoffi cyfrifiaduron?'

27

Roedd Heulyn a Heledd yn debyg iawn, oherwydd efeilliaid oedden nhw. Roedd gan Heulyn wallt coch fel ei chwaer, a gwên lydan. Ond roedd ei wyneb yn welw ac roedd ôl dioddef poen arno. Er hynny, roedd ei lygaid yn llawn hwyl.

'Ydw, dw i wrth fy modd,' atebodd Cris. 'Does dim cyfrifiadur gen i yn nhŷ Tad-cu a Mam-gu, a dyw'r teledu ddim yn gweithio chwaith. Mae hwn yn edrych yn cŵl.'

'Heulyn enillodd y cyfrifiadur mewn cystadleuaeth groeseiriau,' meddai Heledd. 'Mae e'n dda iawn am wneud posau. Enillodd e'r gêm newydd hefyd. Wyt ti wedi'i gweld hi?'

'Pa gêm?' gofynnodd Cris.

'"Lleu a'r Lleidr Llwyd",' atebodd Heulyn. 'Dw i wedi dechrau ei chwarae hi, ond mae hi'n anodd iawn. Hoffet ti gael tro?'

Roedd Cris wrth ei fodd, ond cyn iddo gael cyfle i ateb daeth sŵn annaearol o gyfeiriad y ffenest. 'Hî-hô Hî-hô!' Er bod Cris yn gwybod mai Lolipop oedd yno, bu bron iddo â neidio allan o'i groen. Chwerthin wnaeth Heulyn. 'Mae Lolipop yn dweud "Helô", Cris,' meddai.

Ochneidiodd Heledd. 'Roedd Barri'n cwyno

eto ddoe bod Lolipop yn gwneud gormod o sŵn,' meddai.

'Mae Barri'n cwyno am Bob hefyd,' meddai Cris.

'Dydyn ni ddim yn hoffi Barri,' meddai Heulyn. 'Barri bwgan brain – dyna rydyn ni'n ei alw.'

Ddywedodd Cris 'run gair. Roedd hyn yn ddiddorol. Meddyliodd am Mam-gu. 'Rhaid i mi gadw llygad ar Barri,' meddai wrtho'i hun.

Cyn iddyn nhw ddechrau chwarae gêm 'Lleu a'r Lleidr Llwyd', dangosodd Heulyn ei gyfrifiadur i Cris. Roedd pob math o raglenni arno. Roedd hi'n amlwg fod Heulyn yn dipyn o giamstar ar ddefnyddio'r cyfrifiadur, ac roedd e'n gallu gwneud pob math o bethau clyfar arno. Roedd Cris wrth ei fodd! Soniodd wrth Heulyn fod Dad yn yr Eidal a helpodd yntau ef i anfon neges e-bost ato.

'Rhaid i ti ddod 'nôl fory i weld os yw dy dad wedi ateb,' meddai Heulyn.

Yna trodd y tri at gêm 'Lleu a'r Lleidr Llwyd'. Roedd hi'n gêm dda, ond yn gyntaf roedd yn rhaid i Heulyn egluro i Cris beth oedd yn digwydd ynddi.

'Marchog yn llys y Brenin Arthur yw Lleu,' meddai. 'Mae gan Arthur gleddyf arbennig o'r enw Caledfwlch, ond mae'r Lleidr Llwyd wedi dwyn y cleddyf. Mae Arthur wedi rhoi gorchymyn i Lleu i ennill y cleddyf yn ôl oddi wrth y Lleidr Llwyd, ac mae Lleu'n mynd ar drywydd y Lleidr a'r cleddyf. Ond mae'r Lleidr Llwyd, yn gallu teithio trwy amser i unrhyw le ac unrhyw ganrif. Un o'r camau cyntaf yn y gêm yw helpu Lleu i ddod o hyd i ffordd i fynd ar ôl y Lleidr Llwyd. Mi wnes i ei helpu i fynd at Myrddin. Dewin yw Myrddin ac mae'n rhoi swyn arbennig i Lleu er mwyn iddo yntau hefyd allu teithio i unrhyw le ac unrhyw amser. Nawr mae'n rhaid dilyn rhagor o gliwiau a gweld i ba ganrif y dylai Lleu fynd i chwilio am y Lleidr Llwyd.'

Aeth Heulyn a Cris trwy ragor o gamau yn y gêm. Roedden nhw'n gweithio'n dda gyda'i gilydd, gan lwyddo i symud i'r lefel nesaf. O'u blaen roedd pedwar porth – drwy pa un roedd Lleu i fod i fynd drwyddo? Roedd arwyddion ar dri o'r drysau: Henffych Harri Morgan, Oes Owain Glyndŵr a Stadiwm y Mileniwm. Drws du oedd y pedwerydd, heb 'run arwydd arno.

Meddai Cris, 'Rydyn ni'n chwilio am gleddyf.

Y lle gorau i guddio cleddyf yw yng nghanol cleddyfau eraill. Beth am fynd i ryw gyfnod lle roedd brwydrau'n beth cyffredin? Beth am roi cynnig ar Oes Owain Glyndŵr?'

'Syniad da,' cytunodd Heulyn ar unwaith.

Roedd Cris yn mwynhau ei hun gymaint nes ei fod wedi anghofio cadw golwg ar yr amser. Yn sydyn canodd ei ffôn symudol. Neidiodd pawb mewn braw, achos roedden nhw'n canolbwyntio ar y sgrin.

Mam oedd yno. Roedd hi'n swnio'n flin.

'Cris,' meddai, 'gwell i ti ddod yn ôl ar unwaith. Mae Bob wedi deffro ac wedi dod i lawr i'r siop i chwilio amdanat ti. Mae e yn y siop ar hyn o bryd. Ac mae Barri yma hefyd . . .'

5

Gorffennaf 26   Nos Fawrth

Annwyl Mr D,

Mae gen i lawer i'w ddweud heno, a dw i ddim yn gwybod yn iawn ble i ddechrau.

Wel, rhaid i fi sôn yn gynta am Barri'r bwbach. Bore 'ma, pan es i i weld Heulyn a Heledd, ro'n i'n cael hwyl yn chwarae gêm 'Lleu a'r Lleidr Llwyd'. Ew! Mae hi'n gêm dda. Dw i'n mynd yn ôl fory i drio mynd ymhellach.

Roedden ni ar ganol chwarae pan ffoniodd Mam, ac roedd yn rhaid i fi fynd adre ar frys achos roedd hi'n swnio braidd yn ddig.

Roedd Bob mewn trwbl. Roedd e wedi deffro ac wedi dod i lawr o'r fflat i'r siop i chwilio amdana i. Pan welodd e Mam, roedd e wedi dechrau siglo'i gynffon wrth gwrs. Ond wrth wneud hynny, dyma fe'n dymchwel pentwr o lyfrau. Syrthiodd y llyfrau yn erbyn bocs o lestri. Torrodd rhai o'r llestri – dim llawer – ond gwelodd Barri beth oedd wedi digwydd. Dechreuodd e redeg ar ôl Bob i'w hel allan

32

o'r siop. Roedd Bob yn meddwl bod hyn yn hwyl, a rownd a rownd y siop â nhw am hydoedd. Am ffŷs!

Dyna oedd yn digwydd pan gerddais i i mewn trwy'r drws. Dyma fi'n galw ar Bob ac yn gafael yn ei goler.

Roedd Barri o'i go. 'Dywedais i ddoe,' meddai, ar ôl iddo gael ei wynt ato, 'na ddylai'r ci yma ddim bod ar gyfyl y siop. Mae'n siŵr o wneud llanast. Alla i ddim diodde gweld llestri da'n cael eu malu'n deilchion. Dywedais i – does neb yn gwrando arna i . . .' ac ymlaen ac ymlaen ac ymlaen.

Erbyn i Barri orffen siarad, ro'n i wedi cael llond bol, felly dywedais wrth Mam, 'Dw i'n mynd â Bob i'r traeth am dro.'

'Syniad da,' meddai Mam druan. 'Beth am i fi wneud brechdanau i ti? Galli di gael picnic ar y traeth yn lle cinio.'

A chwarae teg, fe wnaeth becyn o frechdanau ham i ni, ac fe wnes innau eu rhannu nhw gyda Bob. Roedd Mam wedi rhoi arian i mi brynu hufen iâ hefyd. Ac yna fe fuon ni'n chwarae pêl ar y traeth, Bob a fi, nes ein bod ni'n dau wedi blino'n lân a finnau'n chwys domen. Er ei bod wedi stopio glawio, roedd hi'n dal yn wyntog, ac wrth i fi gerdded adre ar hyd y twyni tywod roedd y gwynt yn chwipio fy ngwallt dros fy llygaid. Edrychais i fyny at y clogwyn y pen arall i'r bae, at Gastell Efa. Cofiais am y pennill ac am Tad-cu'n sôn am gyfrinach Castell Efa. Rhaid i fi sôn wrth Heulyn a Heledd am hynna, meddyliais. Gallen ni fynd ar y we a chwilio am wybodaeth am Gastell Efa.

33

Cofiais am lyfr Tad-cu hefyd. Yna edrychais yn fwy gofalus ar y castell. Ro'n i'n siŵr bod 'na bobl yn symud o gwmpas yno. Roedden nhw'n edrych fel morgrug yn y pellter. Beth yn y byd oedd yn digwydd yno?

Cerddon ni adre heibio i Blas y Golomen. Ro'n i'n dal tennyn Bob yn dynn rhag ofn bod Lolipop o gwmpas, ond doedd dim sôn am neb.

O'r diwedd roedd hi'n amser cau'r siop. Roedd nifer o gwsmeriaid wedi bod i mewn, ac roedd Mam wedi blino'n lân ar ôl gweithio trwy'r dydd. Roedden ni'n bwyta'n swper pan ganodd y ffôn.

'Wnei di ateb, Cris?' gofynnodd Mam. 'Rhaid mai dy dad-cu sy'n ffonio i weld sut mae pethau wedi mynd yn y siop heddiw.'

Ond nid Tad-cu oedd yno. Llais Dad oedd ar y lein! Roedd e wedi cael fy neges e-bost ac yn ffonio am sgwrs. Ro'n i wrth fy modd! Roedd Dad yn dweud bod ei waith yn mynd yn dda ac y bydd e'n cymryd gwyliau pan fydd Mam a fi'n mynd i Rufain. Byddwn ni'n gallu mynd o gwmpas gyda'n gilydd. Dw i'n edrych ymlaen yn ofnadwy!

Gwell i fi ddiffodd y golau. Mae Bob yn chwyrnu'n braf yn ei fasged ac aeth Mam i'w gwely'n gynnar iawn gan ei bod hi wedi blino cymaint. Mae bod yn y siop gyda Barri biwis trwy'r dydd yn ddigon i flino unrhyw un! Dw i eisiau codi'n gynnar fory. Rhaid i fi fynd â Bob am dro cyn mynd

34

i weld Heulyn. *Tybed ble* fydd Lleu a'r Lleidr Llwyd yn mynd nesa?

Aros funud. Beth oedd hynna? Dw i'n meddwl mod i wedi clywed sŵn yn rhywle yn y tŷ. *Tybed* ai synau fel hyn roedd Mam-gu'n eu clywed? Gwell i fi fynd i weld . . .

Na, Mr D, es i i ben y grisiau a gwrando'n ofalus, ond doedd dim smic i'w glywed. Rhaid mai dychmygu ro'n i. Dw i'n mynd i gau'r drws yn dynn rhag ofn i Bob godi yn y nos.

Nos da.

6

Llanast!

'Cris! Deffra! Cris!'

Agorodd Cris ei lygaid. Roedd e wedi bod yn cysgu'n drwm. Am eiliad, doedd e ddim yn cofio ble roedd e. Yna gwelodd y ffenest yn y to – wrth gwrs, roedd e'n cysgu yn yr atig yn nhŷ Tad-cu.

'Cris! Brysia!'

Llais Mam oedd yn galw. Beth yn y byd oedd yn bod?

Cododd Cris o'r gwely. Roedd Bob wedi clywed Mam yn galw hefyd, ac wedi neidio allan o'i fasged. Rhuthrodd Cris ac yntau i lawr y grisiau gyda'i gilydd i weld beth oedd yn bod.

Pan gyrhaeddon nhw'r fflat doedd dim sôn am Mam, ond gallai Cris glywed ei llais yn dod o gyfeiriad y siop. Aeth at y grisiau, a Bob wrth ei sodlau. Ond yn sydyn, clywodd Cris lais arall – llais Barri. Stopiodd. Gwell i fi gadw Bob draw oddi wrth Barri, meddyliodd. Aeth ag ef i lawr y grisiau cefn i'r ardd. Byddai'n ddigon diogel yno am ychydig. Yna rhuthrodd yn ôl i'r atig i wisgo amdano. Doedd e ddim am gyfarfod â Barri yn dal i wisgo'i byjamas!

Pan aeth Cris i lawr i'r siop, gwelodd ar unwaith fod rhywbeth mawr o'i le. Doedd e erioed wedi gweld cymaint o lanast!

Roedd dodrefn wedi cael ei symud a silffoedd wedi'u gwagio. Roedd popeth fel petai wedi ei daflu o gwmpas yn y siop – fel petai rhywun wedi bod yn chwilota ymhob twll a chornel o'r lle. Syllodd Cris yn gegagored ar y pentyrrau o bethau ym mhobman.

Yng nghanol y llawr safai Mam gan edrych o'i chwmpas yn ddryslyd.

'Beth yn y byd sy wedi digwydd?' gofynnodd Cris.

Daeth pen Barri i'r golwg. Roedd e wedi bod ar ei liniau y tu ôl i'r cownter.

'Rhaid bod y ci 'na wedi bod o gwmpas yn y nos,' meddai rhwng ei ddannedd. 'Dw i wedi dweud a dweud . . . does neb yn cymryd sylw . . . drychwch ar y lle 'ma . . .'

Roedd Mam wedi cael llond bol. 'Dyna ddigon!' meddai'n gadarn.

Edrychodd Barri arni'n bwdlyd, ond heb ddweud 'run gair. Yna aeth yn ei ôl at y gwaith clirio.

'Ond Mam,' meddai Cris, 'roedd Bob yn cysgu'n sownd yn ei fasged yn fy stafell i drwy'r nos. Roedd drws y stafell ar gau. Nid Bob sy'n gyfrifol, ond pwy wnaeth? Wyt ti'n mynd i alw'r heddlu . . ?'

'Na, does dim angen gwneud hynny,' meddai Barri'n gyflym.

'Wel dw i ddim mor siŵr,' meddai Mam yn araf. 'Ond wedyn, byddai'n rhaid i fi ddweud wrth Tad-cu a byddai ef a Mam-gu'n poeni. Wnei di'n helpu ni i glirio'r lle 'ma er mwyn i ni gael agor y siop?'

Bu'r tri'n gweithio'n galed am awr. Yn rhyfedd iawn, doedd fawr ddim wedi'i dorri, ac wedi iddyn nhw orffen tacluso roedd y siop yn edrych lawn cystal ag arfer. Tra oedd e'n gweithio, roedd Cris yn meddwl yn galed. Roedd yn hollol siŵr nad Bob oedd wedi gwneud y llanast yn y siop. Roedd e'n cofio cau drws ei stafell wely. Doedd hi ddim yn bosib fod Bob wedi agor y drws a mynd i lawr i'r siop. Ond pwy oedd wedi bod yno? Cofiodd Cris ei fod wedi clywed sŵn cyn mynd i gysgu. Rhaid i fi sôn wrth Mam, meddyliodd, ond dw i ddim am ddweud gair o flaen Barri.

O'r diwedd, meddai Mam, 'Diolch yn fawr i chi'ch dau. Gallwn ni agor y siop nawr. Barri, hoffet ti baned o goffi?'

'Dim diolch,' atebodd Barri'n swta. Yna, fel petai'n ceisio bod yn gyfeillgar, meddai, 'Ewch chi'ch dau i gael paned. Fe edrycha i ar ôl y siop.'

Aeth Mam a Cris i fyny i'r fflat. Sylweddolodd Cris ei fod yn llwgu – doedd e ddim wedi cael brecwast! Aeth i nôl Bob o'r ardd ac agor tun o fwyd ci iddo. Gwnaeth Mam blataid o gig moch ac wy iddi hi a Cris. Wrth iddyn nhw fwyta, roedd Cris yn meddwl yn galed.

'Mam,' meddai, 'pwy ddaeth o hyd i'r llanast yn y siop bore 'ma?'

'Codais i'n gynnar,' meddai Mam, 'oherwydd bod rhywbeth wedi fy neffro i. A phan es i i lawr i'r siop, roedd Barri yno'n barod. Dywedodd ei fod yn mynd am dro cyn dod i'r gwaith, a'i fod wedi edrych trwy'r ffenest a gweld llanast yn y siop. Dywedodd nad oedd y drws ar glo – rhaid mod i wedi anghofio'i gloi neithiwr.' Ochneidiodd Mam. 'Rhaid mod i'n drysu – ro'n i'n siŵr mod i wedi cloi popeth yn ofalus. Dywedodd Barri ei fod wedi dod i mewn a gweld y llanast.'

Rhyfedd iawn! meddyliodd Cris. 'Dw i'n hollol siŵr nad oedd Bob wedi codi yn y nos,' meddai wrth Mam.

'O wel, rydyn ni wedi clirio'r cwbl nawr,' meddai Mam a golwg flinedig arni.

Roedd Bob wedi gorffen ei frecwast.

'Gwell i ti fynd ag e am dro, Cris,' meddai Mam.

Wrth i Bob a Cris gerdded heibio i'r tŷ drws nesaf doedd dim sôn am Lolipop yr asyn, ond roedd rhywun arall yno. Roedd Heledd yn eistedd ar y wal.

'Mae Heulyn yn disgwyl amdanat ti,' meddai. 'Pam wyt ti mor hwyr?'

Yn yr holl helynt, roedd Cris wedi anghofio ei fod wedi addo mynd i weld Heulyn.

'Mae'n ddrwg gen i, ond roedd rhywbeth wedi digwydd yn y siop,' meddai wrth Heledd. 'Eglura i wrthot ti wedyn. Rhaid i fi fynd â Bob am dro nawr, ond fe ddo i draw i weld Heulyn yn syth wedyn.'

'Gaiff Bob ddod hefyd?' gofynnodd Heledd. 'Mae Heulyn wrth ei fodd gyda chŵn. Ond fydda i ddim yna,' ychwanegodd. 'Dw i'n mynd i Gastell Efa heddiw – i ffilmio.'

Edrychodd Cris yn syn arni. 'I ffilmio?' holodd.

'Mae cwmni o America'n gwneud ffilm am hanes Castell Efa,' meddai Heledd. 'Roedden nhw'n chwilio am blant lleol i gymryd rhan – yn enwedig plant â gwallt coch. Ces i glyweliad yr wythnos ddiwethaf, a dw i'n mynd i ymarfer heddiw. Mae'r cwmni'n anfon bws mini i gasglu pawb sy'n cymryd rhan.'

Ar y gair, gwelodd y ddau fws mini gwyn yn teithio'n araf ar hyd y ffordd. Ffarweliodd Cris â Heledd ac ymlaen ag ef i'r traeth, a Bob ar ei dennyn. Roedd yn ddiwrnod braf, a'r traeth yn llawn o bobl yn mwynhau eu gwyliau. Doedd dim cyfle i Cris adael Bob oddi ar ei dennyn nac i chwarae pêl. Aethon nhw am dro i ben pella'r traeth, ac ar eu ffordd yn ôl edrychodd Cris i fyny i gyfeiriad Castell Efa. Unwaith eto gallai weld pobl yn symud o gwmpas fel morgrug, ond erbyn hyn roedd e'n deall beth oedd yn digwydd. Gwelodd y bws mini gwyn y tu allan hefyd. Ew! Byddai'n ddiddorol gweld y ffilmio. Rhaid i fi ofyn i Heledd a gaf fi fynd draw yno rhyw ddiwrnod, meddyliodd, gan droi i mewn i'r llwybr oedd yn arwain at ddrws ffrynt Plas y Golomen.

7

Gorffennaf 28   Bore Iau, yn gynnar iawn!

Annwyl Mr D,

Mae'n ddrwg gen i, Mr D, wnes i ddim sgrifennu gair neithiwr. Roedd cymaint o bethau wedi digwydd ac ro'n i wedi blino'n lân. Es i'n syth i'r gwely a syrthio i gysgu ar unwaith. Ro'n i'n meddwl y byddai'n ddiflas yn Llanadar, ac na fyddai gen i ddim i'w wneud tra bod Mam yn y siop, ond mae pethau cyffrous yn digwydd bob dydd! Dw i'n mynd i fod yn brysur iawn heddiw hefyd, a dyna pam rydw i wedi codi'n gynnar i sgrifennu atat ti, Mr D.

Dyma'r hanes. Ar ôl bod am dro ar y traeth bore ddoe, es i a Bob i weld Heulyn.

Mam Heulyn atebodd pan gnociais i ar ddrws Plas y Golomen.

'Dydy Heulyn ddim yn teimlo'n dda iawn heddiw,' meddai. 'Roedd ei gefn yn boenus yn y nos a doedd e ddim yn gallu cysgu, ond bydd e'n falch o dy weld di.'

Es i drwodd i'r stafell gefn. Ces i syndod pan welais i Heulyn. Roedd e'n gorwedd ar ei wely yn y gornel, yn

43

edrych yn sâl ac yn flinedig ofnadwy. Mae gwely Heulyn ar y llawr isaf achos ei bod yn fwy cyfleus iddo gysgu yno nag i fyny'r grisiau. Roedd e'n falch o weld Bob a fi, er hynny. Roedd Bob eisiau chwarae gyda Heulyn, wrth gwrs. 'Paid, Bob!' dywedais i'n gas. 'Byddi di'n brifo Heulyn.'

Ond meddai Heulyn, 'Gad iddo fe, Cris. Dw i'n hoffi cŵn. Mae'n gas gen i bobl yn gwneud gormod o ffŷs oherwydd fy nghefn i.'

Mae Heulyn yn ddewr iawn. Er ei fod e'n aml mewn poen, dydy e byth yn cwyno. Rhaid i fi ofalu peidio â'i drin e'n wahanol oherwydd bod ganddo gefn tost.

Eisteddodd Bob wrth droed y gwely a dyma fi'n dechrau dweud wrth Heulyn am y llanast yn siop Tad-cu. Gwrandawodd yn astud, yna meddai, 'Hm, mae hynna'n od iawn. Os nad Bob oedd wedi gwneud y llanast, pwy oedd wedi bod yn y siop?'

A dyma fi'n dweud wrtho am y sŵn ro'n i'n meddwl i mi ei glywed cyn mynd i gysgu.

Meddyliodd Heulyn am dipyn, yna gofynnodd, 'Oedd rhywun wedi torri ffenest neu glo er mwyn dod i mewn?'

'Na,' dywedais i'n araf. 'Roedd Barri'n dweud bod Mam wedi anghofio cloi'r drws. Ond roedd Mam yn siŵr ei bod hi wedi gwneud. Mae hynna'n rhyfedd iawn, on'd yw e? Ro'n i eisiau galw'r heddlu, ond doedd Barri ddim yn fodlon.'

Edrychon ni'n dau ar ein gilydd am eiliad, yna meddai Heulyn, 'Doedd Barri ddim eisiau galw'r heddlu ac roedd

44

e'n dweud bod y drws heb ei gloi. Oes gan Barri allwedd i ddrws y siop?'

'Dw i ddim yn gwybod,' atebais. 'Rhaid i fi holi Mam.'

'Bydd yn ofalus, Cris,' meddai Heulyn. 'Dw i'n meddwl y dylet ti gadw llygad ar Barri. Mae e'n foi rhyfedd.'

Yna dyma fi'n cofio rhywbeth arall. 'Ddoe daeth rhywun i'r siop – Ella Higgins oedd ei henw. Mae hi eisiau prynu'r tŷ. Mae hi'n poeni Tad-cu a Mam-gu . . .'

Daeth golwg ofidus i lygaid Heulyn. 'Ella Higgins!' meddai rhwng ei ddannedd. 'Mae'n gas gen i Ella Higgins. Mae hi'n niwsans! Mae hi eisiau prynu'n tŷ ni hefyd.'

Do'n i erioed wedi gweld Heulyn yn edrych mor ddig. 'Dydyn ni ddim eisiau symud oddi yma. Hen fodryb i Dad oedd yn byw yma o'n blaenau ni, ac mae'r tŷ wedi bod yn y teulu ers blynyddoedd lawer. Ond mae Dad wedi colli'i waith. Saer coed yw e, ac mae'r cwmni roedd e'n gweithio iddo wedi mynd i'r wal. Mae arian yn brin, ac mae Ella Higgins yn cynnig pris da am y lle. Mae hi'n dod yma i boeni Mam a Dad drwy'r amser.'

Ro'n i'n meddwl mod i'n gweld dagrau yn llygaid Heulyn.

'Dydy Mam-gu a Tad-cu ddim eisiau gwerthu eu tŷ nhw chwaith,' dywedais. 'Rhaid i ni drio'i stopio hi! Mae'n rhaid i ni wneud rhywbeth! Dyw hyn ddim yn deg!'

Ro'n i bron yn gweiddi erbyn hyn ac roedd Bob yn meddwl bod rhywbeth mawr o'i le. Cododd ei ben a dechrau cyfarth. Ar y gair, daeth wyneb Lolipop i'r golwg

45

y tu allan i'r ffenest ac ymunodd gyda'i fref uchel, 'Hî-hô, Hî-hô!'

Roedd y sŵn yn fyddarol a dechreuais i a Heulyn chwerthin. Daeth ei fam i mewn i'r stafell i weld beth oedd yr helynt. Roedd hi'n falch iawn o weld Heulyn yn edrych yn well, ac meddai, 'Beth am i chi'ch dau gael tipyn o ginio?'

Dyma hi'n helpu Heulyn i godi i'w gadair olwyn ac aethon ni i gyd i'r gegin, a chael ffa pob ar dost. Er mod i wedi cael brecwast mawr, bwytais i lond bol eto.

Ar ôl cinio, roedd Heulyn eisiau chwarae gêm 'Lleu a'r Lleidr Llwyd'. Ond cyn i ni gychwyn, cofiais i am rywbeth arall. 'Wyt ti'n gwybod rhywbeth am gyfrinach Castell Efa?' gofynnais. Dywedais wrtho am y pennill ac awgrymu, 'Beth am i ni chwilio ar y we am hanes y castell?'

'Wrth gwrs,' atebodd Heulyn. 'Dw i wedi clywed sôn am drysor Castell Efa, ond do'n i ddim yn gwybod am y pennill. Rhaid i ni ofyn i Heledd hefyd. Falle bydd hi'n clywed rhyw sôn wrth iddyn nhw ffilmio. Wyt ti wedi gweld hwn?' Pwyntiodd at lun olew bach ar y wal. Gwelais mai llun o Gastell Efa oedd e. O flaen y castell safai merch mewn ffrog hir, las.

'Mae'r llun yma wedi bod yn nheulu Dad ers amser hir iawn,' meddai.

Pwysodd Heulyn y botwm i gychwyn y cyfrifiadur a chysylltu â'r we. Teipiodd y geiriau 'Castell Efa' i mewn a

46

disgwyl i weld pa ymateb fyddai e'n ei gael. Darllenon ni trwy'r atebion ddaeth ar y sgrin. Roedd y cwmni ffilmio wedi gosod darn ar eu gwefan nhw am y ffilm roedden nhw'n ei gwneud yng Nghastell Efa – yr un roedd Heledd yn cymryd rhan ynddi. Teitl y ffilm oedd 'Cyfrinach y Castell' a gwelais mai Sam Santana a Brud Gwenlli oedd y sêr. Rhaid i fi drio mynd i weld y ffilmio, meddyliais. Byddwn wrth fy modd yn gweld Sam Santana – ef yw fy hoff actor i!

Ond ar waelod y ddalen roedd darn diddorol iawn!

'Mae chwedl leol yn dweud bod trysor Castell Efa wedi mynd ar goll flynyddoedd lawer yn ôl. Mae haneswyr lleol wedi bod yn ceisio datrys cyfrinach y trysor.'

Edrychodd Heulyn a fi ar ein gilydd a chwerthin. 'Byddai'n wych petaen ni'n dod o hyd i'r trysor,' meddai. 'Paid ag anghofio dod â'r pennill draw!'

Chwilion ni ymhellach ar y we a daethon ni ar draws un paragraff arall:

'Castell Efa, Llanadar, Cymru. Cafodd y castell ei adeiladu tua 1700 gan Syr Tomos Dafydd. Roedd Syr Tomos yn ddyn cyfoethog ac yn berchennog llawer o dir yn yr ardal. Priododd â Mari Wyn, merch bonheddwr lleol. Ond erbyn Oes Fictoria, roedd teulu Castell Efa'n byw mewn tlodi. Yn ôl yr hanes, aeth llawer o aur ar goll, ac nid oes neb wedi dod o hyd iddo. Oherwydd hyn, cododd chwedl 'Trysor Castell Efa'. Yn ôl yr hanes, mae trysor

47

Castell Efa wedi ei guddio yn rhywle yn yr ardal. Maen nhw'n dweud bod yna dri phennill fydd yn arwain at y trysor. Dyma'r pennill cyntaf (mae'r ddau bennill arall ar goll):

'Os sefyll wyt ar lwch y llawr
A syllu lan i'r awyr fawr
O'r twyllwch, golau ddaw ryw ddydd
A'r deryn aur fydd eto'n rhydd.'

'Dyna'r pennill roddodd Tad-cu i fi,' dywedais.

'Hm,' meddai Heulyn. Darllenodd y pennill yn ofalus. Yna cofiais rywbeth arall.

'Mae gan Tad-cu hen lyfr am hanes yr ardal,' dywedais. 'Cyfrinachau Llanadar yw ei enw. Beth am i fi ddod ag e draw, a gallwn ni edrych arno gyda'n gilydd? Falle bydd cliwiau yn hwnnw.'

Yn sydyn, clywson ni'r drws ffrynt yn cau â chlep a rhuthrodd Heledd i mewn. Roedd ei llygaid yn pefrio ac roedd hi'n llawn cyffro.

'Sut aeth y ffilmio?' gofynnodd Heulyn.

'Grêt, roedd e'n wych, ond mae gen i newyddion pwysig,' meddai. Edrychodd arna i. 'Roedden ni'n ymarfer golygfa yn y buarth y tu allan i'r castell, a dywedodd y cyfarwyddwr fod angen ci mawr i gymryd rhan yn yr olygfa. Doedd neb wedi meddwl am hynny, a doedden nhw ddim yn gwybod

48

beth i'w wneud. Soniais i fod 'na gi mawr yn y tŷ drws nesa i ni, ac mae'r cyfarwyddwr eisiau dod i weld Bob bore fory a siarad â ti a dy fam . . .'

Erbyn hyn roedd yn rhaid i Heledd stopio i gael ei gwynt ati. Do'n i ddim yn gallu credu'r peth! Bob yn cael cyfle i fod mewn ffilm! Roedd Heulyn wrth ei fodd hefyd.

'Os wyt ti'n mynd i Gastell Efa, rhaid i ti fanteisio ar bob cyfle i edrych o gwmpas am gliwiau,' meddai.

Buon ni'n siarad am y ffilmio am dipyn wedyn. Roedd Heledd wedi mwynhau'r profiad yn fawr iawn. Yna roedd hi'n bryd i ni fynd adre. Chawson ni ddim cyfle i chwarae gêm 'Lleu a'r Lleidr Llwyd' wedi'r cyfan.

A dyna pam dw i wedi codi'n gynnar y bore 'ma. Mae Bob a fi'n disgwyl i'r cyfarwyddwr alw heibio. Falle caf i gyfle i fod yn y ffilm hefyd! Bydd yn rhaid i fi fynd i Gastell Efa i ofalu am Bob, beth bynnag, ac fe gaf i gyfle i edrych o gwmpas a chwilio am gliwiau i ddatrys dirgelwch trysor Castell Efa hefyd!

Ond mae un peth yn fy ngwneud i'n drist. Hoffwn i petai Heulyn yn gallu dod hefyd. Druan ag e. Mae e mor ddewr. Dyw e byth yn cwyno, er ei fod e mewn llawer o boen.

Rhaid i mi fynd – dw i'n clywed lleisiau yn y fflat. Mae'r cyfarwyddwr wedi cyrraedd!

Hwyl, Mr D.

49

8

Mr Waterman

Rhuthrodd Cris i lawr y grisiau i'r siop. Roedd dau gwsmer yn edrych ar y silffoedd llyfrau. Safai Barri wrth eu hymyl, ac er eu bod nhw'n ei holi am y llyfrau roedd yn gwbl amlwg nad oedd gan Barri unrhyw ddiddordeb. Roedd e'n ceisio gwrando ar sgwrs rhwng Mam a dyn bychan, moel. Gwisgai sbectol haul ar dop ei ben, ac am ei wddf roedd sgarff hir, liwgar. Rhaid ei fod e'n boeth iawn mewn sgarff yng nghanol yr haf! Wrth iddo siarad roedd y dyn yn chwifio'i ddwylo o gwmpas. Roedd yn amlwg ei bod hi'n sgwrs ddifyr, oherwydd roedd ef a Mam yn gwenu ar ei gilydd.

Edrychodd Mam draw a gweld Cris ar waelod y grisiau. Galwodd arno i ddod atyn nhw. Wrth sodlau Cris, wrth gwrs, roedd Bob. Gwelodd Cris fod Barri'n gwgu'n ofnadwy ar Bob, ond chymerodd e ddim sylw. Gafaelodd yn dynn yng ngholer y ci, ac aeth draw at ei fam.

'Dyma Mr Waterman,' meddai Mam wrtho.

'Hank yw'r enw,' meddai'r dyn, gan ysgwyd llaw'n gyfeillgar â Cris. Plygodd i lawr yn ymyl Bob. 'A dyma'r ci?' Roedd ei sgarff yn hongian o flaen trwyn Bob. Roedd Cris yn gobeithio na fyddai Bob yn gafael ynddi ond, am unwaith, safodd yn dawel ac yn ufudd. Edrychodd Mr Waterman yn ofalus ar y ci. Yna safodd ar ei draed a cherdded o'i gwmpas, gan syllu arno o bob cyfeiriad. Safodd Bob yn llonydd fel delw!

'Gwych,' meddai Mr Waterman o'r diwedd. 'Dyma'n union beth rydyn ni'n chwilio amdano.'

Trodd at Mam. 'Fyddech chi'n fodlon i'ch mab ddod â'r ci i Gastell Efa fory?' gofynnodd. 'Byddwn ni'n anfon y bws mini i'w nôl, ac mae gyda ni staff i ofalu am Cris a'r ci. Byddwn ni'n talu ffi deilwng, wth gwrs.'

Gwenodd Mam. 'Beth wyt ti'n feddwl, Cris?' gofynnodd.

'O, y, ie, iawn, wrth gwrs,' atebodd Cris. Er ei fod yn ceisio edrych yn ddidaro, roedd yn llawn cyffro. Prin roedd e'n gallu anadlu. Yna gofynnodd, 'Beth fydd yn rhaid i Bob wneud, Mr Waterman?'

51

'Wel, mae 'na ddwy olygfa. Yn yr olygfa gyntaf, bydd yn rhaid iddo eistedd o flaen y tân yn y neuadd wrth draed Syr Tomos Dafydd. Yn y llall bydd yn rhaid iddo redeg ar draws buarth y castell i groesawu Syr Tomos pan fydd hwnnw'n cyrraedd adre ar ei geffyl.'

'Dim problem. Gall Bob wneud hynna'n iawn,' meddai Cris. Roedd e wrth ei fodd!

Edrychodd Mr Waterman o'i gwmpas. 'Mae llawer o hen bethau diddorol yn y siop yma,' meddai. 'Trueni nad oeddech chi'n fodlon i ni fenthyca rhai ohonyn nhw ar gyfer y ffilm.'

Edrychodd Mam yn syn. 'Mae'n ddrwg gen i,' meddai'n ddryslyd, 'ond dw i ddim yn deall. Does neb wedi sôn gair am y peth wrtha i.'

'O,' meddai Mr Waterman, 'galwais i mewn yma ddoe. Dywedodd eich cynorthwy-ydd' – pwyntiodd at Barri – 'nad oedd hynny'n bosib.'

Edrychodd pawb draw at Barri. Roedd yn gwbl amlwg ei fod wedi gwrando ar eu sgwrs. Roedd un o gwsmeriaid Barri ar ganol brawddeg, ond trodd Barri ar ei sawdl a'i adael yn sefyll yn gegagored. Daeth draw at Cris a'i fam a Mr Waterman. Roedd yn goch hyd fôn ei wallt.

'Roeddech chi a Cris yn cael paned yn y

fflat . . . Do'n i ddim yn meddwl y byddech chi'n fodlon,' meddai. 'Do'n i ddim yn siŵr . . .'

'Gwell i fi egluro,' meddai Mr Waterman. 'Mae arnon ni angen benthyca llawer o hen bethau ar gyfer golygfeydd yn y ffilm. Bydden ni'n gofalu'n dda amdanyn nhw, wrth gwrs, ac yn talu'n hael am gael eu benthyca nhw. Ac yna,' meddai gan wenu, 'gallech chi ddweud wrth eich cwsmeriaid bod pethau o'r siop yma wedi ymddangos mewn ffilm!'

Edrychodd Mam yn gas ar Barri. 'Wel, Mr Waterman,' meddai, 'dw i'n siŵr y gallwn ni ddod i gytundeb. Pa eitemau oedd gyda chi mewn golwg?'

Aeth Mr Waterman a Mam o amgylch y siop yn edrych ar wahanol bethau. Gwelodd Mr Waterman sawl llun mewn ffrâm fyddai'n addas ar gyfer y ffilm.

Gofynnodd i Mam, 'Oes gyda chi luniau o Gastell Efa? Hoffwn i gael hen lun o'r castell.'

Meddyliodd Mam am eiliad, yna meddai, 'Roedd gan fy mam hen lun olew o Gastell Efa erstalwm, ac roedd hi'n arfer dweud mai o'r castell ei hun y daeth e. Dw i'n cofio'i weld pan o'n i'n ferch fach. Tybed ydy e yn stafell wely fy rhieni?'

Aeth Mam i chwilio a daeth yn ei hôl â llun yn ei llaw – llun olew bychan o Gastell Efa. Safai bachgen mewn siwt las y tu allan i'r castell. Roedd ganddo wallt coch ac roedd e tua phymtheg oed. Roedd Cris yn siŵr ei fod wedi gweld llun tebyg yn rhywle arall – ond ymhle? Roedd e'n methu'n lân â chofio.

Roedd Mr Waterman wrth ei fodd â'r llun! Dewisodd sawl dodrefnyn hefyd. Roedd yn hoffi un cwpwrdd cornel yn fawr iawn, a phenderfynodd ei fod am brynu hwnnw iddo'i hun!

Safodd Cris yn dawel yn y gornel yn dal Bob wrth ei dennyn ac yn gwylio Mam a Mr Waterman. Roedd e wrth ei fodd, ond edrychai Barri fel petai'n sugno lemwn sur! Safai y tu ôl i'r cownter yn ei siwmper lwyd llipa gan edrych yn gas ar bawb.

Yn sydyn, canodd ffôn symudol Cris. Heledd oedd yno.

'Esgusodwch fi,' meddai Cris wrth Mam a Mr Waterman, a rhedodd ef a Bob yn ôl i fyny'r grisiau i'r fflat er mwyn iddo allu cael sgwrs â hi.

Dywedodd Cris fod Mr Waterman wedi gofyn i Bob gymryd rhan yn y ffilm ac roedd Heledd wrth ei bodd.

'Ond nid dyna pam dw i'n ffonio,' meddai. 'Ry'n ni'n mynd i'r ganolfan hamdden yn Abermelyn. Hoffet ti ddod gyda ni? Mae'n grêt – mae'r pwll nofio'n wych, a gallwn ni fynd am dro o gwmpas y dre wedyn. Mae mynd i'r pwll nofio'n hwyl i Heulyn hefyd.'

'Gwych! Byddwn i wrth fy modd! Ond beth am Bob?' holodd Cris.

'O, fydd dim lle i Bob. Bydd y car yn llawn – ry'n ni'n mynd â chadair olwyn Heulyn,' atebodd Heledd yn siomedig.

55

'Fe wna i ofyn i Mam,' meddai Cris. 'Ffonia i ti'n ôl.'

Erbyn hyn roedd Mr Waterman a Mam yn trafod pryd byddai lorri'r cwmni ffilmiau'n dod i gasglu'r holl eitemau. O'r diwedd roedd popeth wedi'i drefnu a cherddodd Mr Waterman am y drws, gan ysgwyd llaw â Mam.

Ar ôl iddo fynd allan, trodd Mam yn syth at Barri. Gallai Cris weld ei bod hi wedi gwylltio ac roedd e'n cytuno'n hollol â hi! Roedd hi'n hen bryd i rywun roi pryd o dafod i Barri biwis. Ond doedd dim amser gan Cris i aros. 'Mam, mae Heledd wedi gofyn i fi fynd gyda hi a Heulyn a'u rhieni i'r ganolfan hamdden yn Abermelyn,' meddai. 'Gaf i fynd?'

'Wrth gwrs,' meddai Mam.

'Ond mae 'na un broblem – all Bob ddim dod,' ychwanegodd Cris.

'Paid â phoeni,' meddai Mam. 'Dydd Iau yw hi heddiw, ac mae siopau Llanadar yn cau ar bnawn Iau. Fe af fi â Bob am dro – bydd yn braf cael cyfle am dipyn o awyr iach.'

'Diolch, Mam,' meddai Cris gan estyn am ei ffôn i roi'r newyddion da i Heledd. Ac ymhen pum munud roedd yn canu'r gloch drws nesaf ym Mhlas y Golomen.

9

Gorffennaf 28   Nos Iau

Annwyl Mr D,

Am ddiwrnod prysur! Bore 'ma daeth Mr Waterman draw ac roedd e'n hoffi Bob yn fawr. Bydd Bob yn cael cymryd rhan yn y ffilm yng Nghastell Efa (a bydda i'n mynd hefyd i ofalu amdano, wrth gwrs).

Yna ffoniodd Heledd a gofyn a o'n i eisiau mynd gyda hi a'r teulu i Abermelyn ac wrth gwrs ro'n i wrth fy modd. Mae car mawr gan y teulu oherwydd mae'n rhaid iddyn nhw fynd â chadair olwyn Heulyn i bobman gyda nhw. Roedd Heledd a Heulyn a'u rhieni a fi yn y car. Roedd Heledd a Heulyn mewn hwyliau da, ond gallwn i weld bod eu rhieni'n drist ac yn gofidio'n fawr. Ro'n i'n gwybod yn iawn beth oedd yn eu poeni nhw – Ella Higgins a'i chynlluniau.

Roedd gan Heulyn newyddion i fi. 'Ar ôl i ti fynd ddoe, fe fues i'n chwarae gêm "Lleu a'r Lleidr Llwyd",' meddai. 'Dywedest ti y byddai'n rhwydd cuddio cleddyf yng nghanol cleddyfau eraill, mewn brwydr efallai, felly dyma fi'n dewis

57

porth Owain Glyndŵr. Glaniodd Lleu yn un o frwydrau Owain Glyndŵr, a dyna lle roedd y Lleidr Llwyd yng nghanol y milwyr yn chwifio Caledfwlch!'

'Wnaeth Lleu lwyddo i gael y cleddyf yn ôl?' gofynnais yn gyffrous.

'Naddo; ymunodd Lleu â milwyr Owain Glyndŵr a dechrau ymladd yn erbyn y gelyn. Llwyddodd y Lleidr Llwyd i sleifio i ffwrdd,' meddai Heulyn. 'Rhaid i ni roi cynnig ar borth arall.'

Ymhen chwarter awr, dyma ni'n cyrraedd Abermelyn. Mae hi'n dref weddol fawr, ac aethon ni'n syth i'r Ganolfan Hamdden. Roedd Heulyn yn mynd i'r pwll nofio oherwydd ei fod e'n gallu gwneud ymarferion yn y dŵr. Roedd Heledd a fi wedi dod â'n dillad nofio hefyd, ond gwelais i gwrt sboncen wrth i ni gerdded i mewn.

'Wyt ti'n ffansïo gêm o sboncen gynta?' gofynnais i Heledd a dyma hi'n cytuno.

Gawson ni dipyn o hwyl arni, ac erbyn i ni fynd i'r pwll nofio roedden ni'n dau'n chwys domen ac yn goch fel tomatos. Roedd Heulyn yn dal wrthi'n gwneud ei ymarferion gyda'i dad yn y dŵr, ond ymhen ychydig dyma nhw'n rhoi'r gorau iddi ac eistedd ar yr ymyl.

Ar ôl i Heledd a fi nofio am dipyn aethon ni i gyd i newid. Wrth i ni gyfarfod eto y tu allan i'r stafelloedd newid, edrychodd Heledd ar ei watsh. 'Hei, Dad, rhaid i ni frysio,' meddai. 'Bydd Mam yn aros amdanon ni.' Roedd eu mam

58

wedi bod yn siopa, ac roedden ni wedi trefnu cyfarfod â hi mewn caffi i gael cinio. Gan ei bod hi'n braf, eisteddon ni wrth fwrdd y tu allan, ac wrth i mi fwyta fy mrechdan ham edrychais o nghwmpas – do'n i ddim wedi bod yn Abermelyn o'r blaen. Am eiliad ro'n i'n meddwl mod i wedi cael cip ar Barri yn ei siwmper lwyd yn cerdded ar hyd y stryd yr ochr arall i'r ffordd. 'Paid â bod yn wirion,' dywedais wrthyf fy hun, 'rwyt ti'n dechrau gweld pethau.'

Roedd mam Heulyn wedi prynu'r papur newydd lleol, a dangosodd y pennawd ar y ddalen flaen i ni. 'Castell Efa! Mae'r Americanwyr wedi dod!' Dyma ni i gyd yn edrych ar y papur yn ein tro. Roedd yr erthygl yn sôn am ffilm 'Cyfrinach y Castell' ac yn dweud bod arddangosfa am hanes Castell Efa yn yr amgueddfa yn Abermelyn. 'Mae llawer o ddogfennau diddorol i'w gweld yno,' meddai'r erthygl. Hm, gallai hyn fod yn ddefnyddiol.

'Ble mae'r amgueddfa?' gofynnais i Heulyn.

Gan ei bod hi'n agos at y caffi, penderfynodd pawb eu bod nhw am weld yr arddangosfa. Roedd Heledd yn meddwl y byddai'n dda iddi wybod mwy oherwydd ei bod yn cymryd rhan yn y ffilm, ond roedd Heulyn a fi'n meddwl am y gyfrinach a'r trysor. Ond am siom! Doedd dim sôn yno am y gyfrinach nac am y penillion nac am y trysor.

Doedd Heulyn ddim am fynd oddi yno heb holi. Gofynnodd i'r curadur, 'Ydych chi'n gwybod lle gallwn ni gael gwybod mwy am gyfrinach trysor Castell Efa a'r tri phennill?'

59

Edrychodd hwnnw'n syn arno. 'Na, dim ond stori yw hi,' meddai. 'Dw i ddim wedi gweld unrhyw sôn yn ein dogfennau ni o gwbl. Ond dyna beth rhyfedd,' ychwanegodd, 'roedd rhywun arall yma hanner awr yn ôl yn gofyn yr un peth.'

Cefais i syniad yn sydyn. 'Ai dyn oedd yn holi?' gofynnais. 'Dyn â gwallt hir yn gwisgo siwmper lwyd?'

Edrychodd y curadur yn syn. 'Wel ie, ydy e'n ffrind i ti?' meddai.

'Ddim yn hollol,' atebais rhwng fy nannedd.

Deallodd Heledd ar unwaith am bwy ro'n i'n sôn. Pan aethon ni allan o'r amgueddfa, meddai, 'Roedd Barri wedi bod yn holi am y trysor!'

'Ro'n i'n meddwl mod i wedi gweld Barri pan oedden ni yn y caffi, ond do'n i ddim yn siŵr,' atebais.

Roedd pawb yn dawel ar hyd y ffordd adre. Roedd Heulyn wedi blino, ac ro'n i'n meddwl yn galed. Cyn i fi fynd adre, fe ges i gyfle i gael gair cyflym â Heulyn.

'Wyt ti'n meddwl bod diddordeb gan Barri yn nhrysor Castell Efa?' gofynnais. 'Wyt ti'n meddwl ei fod yn chwilio amdano?'

'Ydw,' meddai Heulyn, a golwg ddifrifol arno. 'Os ydyn ni eisiau datrys cyfrinach Castell Efa, rhaid i ni weithio'n gyflym.'

Pan es i 'nôl i'r fflat, ro'n i'n disgwyl y byddai Bob yn neidio i fyny ac yn fy llyfu i fel mae e bob amser yn ei

60

wneud pan ydw i wedi bod oddi wrtho am fwy na hanner awr. Ond roedd Bob yn cysgu'n sownd yn ei fasged. Agorodd un llygad a siglo'i gynffon pan welodd fi'n dod i mewn, yna aeth yn ôl i gysgu.

'Mae Bob wedi blino'n lân,' meddai Mam gan chwerthin. 'Aethon ni am dro hir iawn, yr holl ffordd i fyny i Gastell Efa. Ew! Fe wnes i fwynhau cael tipyn o awyr iach. A dw i'n llwgu hefyd! Beth am i ni gael pysgod a sglodion o'r siop i swper heno?'

'Syniad da!' Dw i wrth fy modd gyda physgod a sglodion, ond dyw Mam ddim yn fodlon i ni eu cael nhw'n aml.

'Wyt ti eisiau i fi fynd i'w nôl nhw?' gofynnais i Mam.

'Ie, byddai hynny'n wych,' atebodd Mam. 'Af i i nôl arian i ti nawr.'

I ffwrdd â fi, felly, ac ro'n i bron â chyrraedd y siop pan welais gip o rywun trwy gornel fy llygad – rhywun â gwallt hir yn gwisgo siwmper lwyd. Roedd e'n croesi'r ffordd i'r traeth. Ai Barri oedd e? Unwaith eto, ro'n i'n meddwl mai dychmygu o'n i. Er hynny, dyma fi'n brysio i gyfeiriad y traeth. Wrth i mi droi'r gornel, stopiais yn fy unfan. Dyna lle roedd Barri, rhyw dri cham i ffwrdd, yn sefyll yng nghysgod un o'r twyni tywod. Ond welodd e mohono i, oherwydd roedd e'n siarad â rhywun. Ac ro'n i'n ei hadnabod hefyd – Ella Higgins oedd hi!

Syllais arnyn nhw am funud neu ddwy, cyn symud i

61

ffwrdd yn dawel a mynd i'r siop sglodion. Roedd fy meddwl i'n chwyrlïo. Pam roedd Barri'n cyfarfod ag Ella Higgins? Oedd e'n gweithio ar ei rhan hi, yn ei helpu hi? Tybed . . ?

Ddywedais i 'run gair wrth Mam. Rhaid i mi feddwl dros y cyfan fy hun yn gyntaf. Fe wna i ei drafod e gyda Heulyn fory.

Nawr mae'n rhaid i mi roi'r gorau i sgrifennu a mynd i gysgu. Bydd fory'n ddiwrnod mawr – dyna pryd mae Bob a fi'n mynd i ymarfer yng Nghastell Efa ar gyfer y ffilm!

Nos da, Mr D.

10

DECHRAU GWAEL!

Ar ôl mynd i'w wely, bu Cris yn troi a throsi am oriau. Roedd ei fol yn rhy llawn o sglodion, a phopeth oedd wedi digwydd yn ystod y dydd yn chwyrlïo trwy ei feddwl fel melin wynt! Roedd Bob yn chwyrnu'n braf, fel arfer. Ceisiodd Cris feddwl beth oedd pobl yn arfer ei wneud er mwyn syrthio i gysgu. Cyfri defaid – neu'r sêr? Ceisiodd Cris gyfri'r sêr a welai trwy'r ffenest yn y to . . .

Yn sydyn, meddyliodd ei fod yn clywed sŵn. Cododd a mynd ar flaenau'i draed at ddrws ei stafell. Doedd e ddim eisiau deffro Bob. Yn araf bach, aeth i lawr y grisiau i'r fflat gan wrando'n astud. Roedd yn siŵr ei fod yn clywed sŵn siffrwd yn dod o gyfeiriad y siop. Roedd pobman yn dywyll fel bol buwch, a'r unig olau'n dod o'r lamp stryd y tu allan. Edrychodd Cris o'i gwmpas. Doedd dim byd i'w weld o'i le. Rhaid mai dychmygu wnes i, meddyliodd, gan droi'n ôl at y grisiau. Yna'n sydyn diflannodd golau lamp y stryd. Beth oedd yn digwydd? Edrychodd Cris i gyfeiriad y drws. Roedd cysgod y tu allan i'r drws – cysgod dyn – ac roedd e'n plygu dros dwll y clo . . .

Gwaeddodd Cris ar dop ei lais, 'Mam! Bob! Fan hyn! Ar unwaith!'

Ar yr un eiliad yn union, llithrodd y cysgod yn esmwyth i'r tywyllwch a golau lamp y stryd yn llenwi'r siop unwaith eto. Roedd Bob wedi deffro, a'i gyfarth gwyllt yn llenwi'r tŷ – roedd e wedi'i gau i mewn yn stafell wely Cris. Rhuthrodd Mam i lawr y grisiau yn ei gwisg nos.

'Beth yn y byd sy'n bod?' gofynnodd yn gysglyd. Yn ei llaw cariai ganhwyllbren fawr, yn barod i ddelio ag unrhyw leidr!

Edrychodd Cris i gyfeiriad y drws. 'Fe glywais i sŵn . . . roedd 'na gysgod wrth y drws . . .'

Wrth iddo ddweud y geiriau, roedd Cris yn gwybod eu bod nhw'n swnio'n wirion.

'O, Cris, ro'n i wedi blino,' meddai Mam yn swta. 'Ro'n i newydd fynd i gysgu, a dyma ti'n fy neffro i – ti a'r ci 'na,' meddai'n gas.

Aeth hanner awr heibio cyn i Cris allu mynd yn ôl i'w wely. Roedd yn rhaid iddo wrando ar Mam yn rhoi pryd o dafod iddo, a cheisio cysuro Bob druan.

O'r diwedd roedd pawb a phopeth yn dawel unwaith eto a swatiodd Cris yn ôl dan ei gwrlid. Y tro hwn syrthiodd i gysgu'n drwm iawn ar unwaith a dechrau breuddwydio. Roedd e yng

65

Nghastell Efa gyda Bob. Roedden nhw yn neuadd y castell, ac roedd Hank Waterman yn pwyntio at Bob ac yntau gan ddweud wrth dyrfa o bobl, 'Dyma sêr y ffilm!' Yna clywodd Cris rywun y tu ôl iddo. Trodd a gweld y Lleidr Llwyd yn sefyll yn y gornel. 'Ble mae'r cleddyf? Ble mae Caledfwlch?' gofynnodd Cris iddo. Ond wrth fynd yn nes, gwelodd Cris wyneb y Lleidr. Wyneb Barri oedd e! Roedd gwregys gan Barri'r Lleidr Llwyd ac yn y gwregys hwnnw roedd y cleddyf, Caledfwlch. Tynnodd Barri'r cleddyf allan o'r gwregys a dod tuag at Cris . . . Roedd Bob yn cyfarth . . .

Deffrodd Cris yn chwys domen. Gwelodd o'r ffenest uwch ei ben ei bod hi'n olau dydd. Roedd cyfarth Bob yn llenwi'r awyr, a deallodd Cris nad yn ei freuddwyd yn unig roedd Bob yn gwneud sŵn – roedd e'n cyfarth go iawn. Ac roedd Mam yn gweiddi arno hefyd, 'Cris! Brysia! Fe fyddi di'n hwyr!'

Edrychodd Cris ar y cloc wrth ymyl y gwely. O na! Roedd hi wedi troi naw o'r gloch! Roedd e wedi bwriadu codi'n gynnar er mwyn cael brwsio cot Bob nes ei bod yn sgleinio, a'i baratoi ar gyfer mynd i Gastell Efa. Nawr fyddai dim amser. Gwisgodd amdano ar frys gwyllt a rhedeg i lawr y grisiau, gyda Bob yn dynn wrth ei sodlau.

Eisteddai Mam wrth y bwrdd yn yfed paned o goffi. Roedd golwg flinedig arni. Aeth Cris â Bob allan i'r ardd gefn – doedd e ddim am i Bob gael damwain ar lawr y gegin – dim heddiw o bob diwrnod!

'Mae 'na gerdyn post wedi cyrraedd i ti oddi wrth Tad-cu,' meddai Mam.

Edrychodd Cris ar y cerdyn. Llun o gastell Caeredin oedd ar y tu blaen, ac ar y cefn roedd Tad-cu wedi sgrifennu neges:

Annwyl Cris,

Rydyn ni'n cael amser braf ac yn mwynhau'r gorffwys. Mae Mam-gu'n teimlo'n well o lawer. Dyma gastell Caeredin. Wyt ti wedi datrys cyfrinach Castell Efa eto, Cris?

Cofion, Tad-cu

Cris Tomos
Plas yr Wylan
Llanadar
Ceredigion

67

Gwenodd Cris ac edrych ar Mam. Ond roedd Mam yn darllen llythyr arall oedd wedi cyrraedd y bore hwnnw, a gallai Cris weld nad oedd hi mewn hwyliau da. Cododd a mynd i edrych dros ei hysgwydd. Roedd y llythyr wedi'i sgrifennu mewn inc coch ac ar y brig mewn llythrennau bras roedd y geiriau CYNNIG OLAF! Gwelodd yr enw ar waelod y llythyr – 'Ella Higgins, Prif Weithredwr Cwmni'r Carw.'

Ochneidiodd Mam a rhoi'r llythyr yn ôl yn yr amlen gan wneud ei gorau i wenu ar Cris. 'Wyt ti'n edrych ymlaen at y ffilmio?' gofynnodd.

'Ydw – ond rhaid i mi frysio, neu fe fyddwn ni'n hwyr!' atebodd Cris.

Paratôdd fwyd i Bob a'i alw'n ôl i mewn o'r ardd. Yna llyncodd ddau ddarn o dost ac yfed gwydraid o sudd oren.

'Mae'r bws mini'n dod i gasglu Heledd, Bob a fi y tu allan i Blas y Golomen am chwarter i ddeg,' meddai.

'Iawn,' meddai Mam. 'Mae'n bryd i fi fynd i lawr i agor y siop. Dywedodd Mr Waterman y bydd lorri'r cwmni ffilmio'n galw'n nes ymlaen i gasglu'r pethau roedd e wedi'u dewis. Mae e wedi talu'n dda iawn am gael eu benthyca,' ychwanegodd gan wenu, 'ac mae e wedi addo gofalu am bopeth.'

Cychwynnodd Mam i lawr y grisiau i'r siop. 'Galwa i mewn pan fyddwch chi'n mynd er mwyn i fi gael dweud "Lwc dda" wrth Bob,' meddai. 'A chofia wneud yn siŵr ei fod e'n byhafio, neu fydd gyrfa Bob fel seren ym myd y ffilmiau ddim yn para'n hir!'

Roedd Cris ar fin cychwyn i gyfarfod â Heledd pan ganodd ei ffôn symudol. Heulyn oedd yno. 'Gaf fi fenthyca llyfr dy dad-cu am hanes Llanadar?' gofynnodd. 'Wnei di ddod ag e draw cyn i ti fynd?'

'Wrth gwrs,' atebodd Cris. 'Fe ddo i nawr.'

Aeth at y bocs jig-sos yn y gornel i gasglu'r llyfr, a mynd i lawr y grisiau i'r siop. Roedd yn gafael yn nhennyn Bob yn un llaw, ac yn y llall roedd llyfr Tad-cu, *Cyfrinachau Llanadar*.

'Hei, Mam, mae Bob a fi'n mynd nawr,' galwodd, gan edrych i gyfeiriad y cownter.

Ond doedd Mam ddim yno. Barri oedd yn sefyll y tu ôl i'r cownter, a'r olwg sur arferol ar ei wyneb. Roedd ei wallt yn fwy llipa nag erioed, yn hongian hyd at ei ysgwyddau a thros y siwmper lwyd ddiflas.

'Mae dy fam yn y storfa gefn,' meddai'n swta. Yna'n sydyn, daeth golwg graff i'w lygaid wrth

69

iddo syllu'n galed ar rywbeth. Beth oedd e wedi'i weld oedd mor ddiddorol?

Ceisiodd Barri wneud i'w lais swnio'n gyfeillgar. 'Ble cest ti'r llyfr yna?' gofynnodd. 'Llyfr dy dad-cu yw e, ontefe? Dw i 'di bod yn chwilio amdano. Gaf fi ei weld e?'

Symudodd Cris yn ôl. 'Mae'n ddrwg gen i,' atebodd yn gwrtais, 'ond dw i wedi addo benthyca'r llyfr i ffrind.'

'Ond dw i eisiau ei weld,' meddai Barri. Daeth allan o'r tu ôl i'r ddesg, ei lygaid yn galed ac oer. Yn sydyn, dechreuodd Bob wneud sŵn chwyrnu yng nghefn ei wddf. Roedd e wedi synhwyro bod rhywbeth o'i le.

Camodd Cris yn ôl. Roedd Barri'n estyn ei law allan a chuddiodd Cris y llyfr y tu ôl i'w gefn. Roedd wyneb Barri'n llawn bygythiad . . .

Yna daeth llais o gefn y siop. Mam oedd yno.

'O, dyna ti Cris, wyt ti'n barod i fynd? Pob lwc, Bob. Hwyl i ti, Cris.'

Mam, rwyt ti'n seren! meddyliodd Cris.

'Hwyl, Mam,' galwodd yn dalog, a chyn i Barri allu symud, llithrodd Bob ac yntau heibio iddo ac allan trwy'r drws.

Roedd meddwl Cris yn gweithio'n gyflym. Pam roedd Barri mor benderfynol o weld llyfr

Tad-cu? Oedd e'n meddwl bod rhyw wybodaeth bwysig ynddo, tybed? Cofiodd rywbeth arall hefyd. Roedd e wedi dod o hyd i'r llyfr yng nghornel bella'r cwpwrdd, fel petai Tad-cu wedi ei guddio yno. Pam roedd Tad-cu wedi cuddio'r llyfr? Oedd e'n gwybod y byddai Barri'n chwilio amdano? Oedd Tad-cu'n amau Barri, tybed?

Roedd Heulyn a Heledd yn disgwyl am Cris yng ngardd Plas y Golomen.

'Rwyt ti'n hwyr,' meddai Heulyn wrtho. 'Bydd y bws mini yma unrhyw eiliad.'

Eglurodd Cris beth oedd wedi digwydd, ac roedd golwg ddifrifol ar wyneb Heulyn wrth wrando arno.

'Rhaid bod yna rywbeth pwysig yn y llyfr,' meddai. 'Fe edrycha i'n ofalus arno, tra rydych chi'ch dau yng Nghastell Efa.'

Roedd Heledd wedi bod yn gwylio'r ffordd. 'Mae'r bws wedi cyrraedd,' galwodd.

Aeth Cris, Heledd a Bob i eistedd yn y sedd gefn. Wrth i'r bws gychwyn, trodd Cris i edrych trwy'r ffenest ôl a chodi'i law ar Heulyn. Ond doedd Heulyn ddim yn edrych. Roedd e'n eistedd yn ei gadair olwyn, gyda'r llyfr ar agor ar ei gôl, yn darllen yn eiddgar.

71

11

Gorffennaf 29   Nos Wener

Annwyl Mr D,

Fe ges i ddechrau gwael i'r diwrnod heddiw. I ddechrau, ro'n i wedi cysgu'n hwyr, wedyn roedd Barri'r bwbach wedi ceisio mynd â llyfr Tad-cu, *Cyfrinachau Llanadar.*

Ond o'r diwedd roedd Heledd, Bob a fi yn y bws ar ein ffordd i Gastell Efa i ymarfer y ffilmio. Wrth i'r bws gyrraedd y castell, edrychais allan trwy'r ffenest. Mae'r castell yn lle mawr, ond mae rhannau ohono bron yn furddun erbyn hyn. Mae'r cwmni ffilmio wedi dewis y rhannau gorau ac maen nhw wedi gwneud i'r lle edrych fel petai'n llawn bywyd.

Pan ddaethon ni oddi ar y bws, dyma fi'n gafael yn dynn yn nhennyn Bob ac meddai Heledd, 'Gwell i ni fynd i mewn i'r neuadd.'

Roedd y cwmni ffilmio wedi gwneud i'r lle edrych yn ffantastig, fel petai pobl yn dal i fyw yno. Bydd y gwahanol bethau o siop Tad-cu'n edrych yn wych yno. Ro'n i wedi edrych ymlaen at weld Sam Santana a Brud Gwenlli, ond

72

doedd dim sôn amdanyn nhw'n unman, er bod llawer o actorion eraill o gwmpas. Doedden nhw ddim yn eu gwisgoedd ar gyfer y ffilm eto. Roedden nhw'n edrych yn rhyfedd achos er eu bod nhw'n gwisgo jîns a chrysau-T, roedd ganddyn nhw gleddyfau hefyd! Roedd rhai ohonyn nhw'n cael gwers i'w dysgu sut i'w trin yn saff. Byddwn i wedi hoffi aros i'w gwylio nhw, ond meddai Heledd, 'Brysia, Cris. Mae Mr Waterman draw fan acw. Rhaid i ti fynd i siarad ag e. Fe wnaiff e ddweud beth wyt ti i fod i wneud.'

Ac ar y gair rhedodd Heledd at griw o ferched eraill. Roedd menyw â chlipfwrdd yn ei llaw yn galw'u henwau ac yn eu ticio i ffwrdd wrth iddyn nhw ateb. Yna meddai'r fenyw, 'Dewch, ferched. Heddiw mae'n rhaid i chi ymarfer y ddawns.' Ac i ffwrdd â nhw trwy ddrws yng nghefn y neuadd.

Cerddodd Bob a fi ymlaen yn araf trwy'r neuadd, yn llygaid i gyd, a gwelodd Mr Waterman ni'n dod. Er ei bod yn ddiwrnod braf, roedd e'n dal i wisgo'i sgarff hir am ei wddf, a'i sbectol haul ar ei ben moel. Fel arfer, roedd gwên lydan ar ei wyneb.

'Haia, Bob. Haia Cris,' meddai'n serchog. Galwodd ar ferch oedd yn sefyll yn ei ymyl. 'Linda, dyma Bob y ci. Wnewch chi ddangos i Cris beth sydd angen i Bob ei wneud?'

Daeth Linda draw aton ni. Roedd ganddi wallt gwyn a sbectol goch. Gwisgai drowsus loncian a siaced â phocedi mawr ynddi.

73

'Haia, Cris,' meddai. Yna aeth ar ei gliniau o flaen Bob. 'Sut wyt ti'r hen ffrind?' meddai.

Estynnodd ddarn o sosej o'i phoced. Roedd Bob wrth ei fodd – roedd hon yn amlwg yn deall cŵn i'r dim! Llygadodd Bob y pocedi mawr – tybed oedden nhw'n llawn sosejys?

Cododd Linda ar ei thraed a gofyn i fi, 'Ydy Bob yn ufuddhau pan wyt ti'n rhoi gorchymyn iddo?'

'Ym, wel, ydy – fwy neu lai,' atebais braidd yn ansicr.

'Hm, rhaid i ni wneud yn siŵr ei fod e'n ufudd bob amser ac yn chwarae'i ran yn y ffilm,' meddai Linda.

A dyma'r wers yn dechrau. Yn y ffilm, roedd Bob i fod i redeg at Syr Tomos Dafydd, o un pen o fuarth y castell i'r llall.

Dywedodd Linda y byddai hi'n dal Bob yn un pen o'r buarth. Byddai'n rhaid i fi sefyll y tu ôl i Syr Tomos a gorchymyn i Bob 'Dere!' ar yr union amser iawn.

Yn ei ail olygfa, byddai Syr Tomos Dafydd yn eistedd yn ei gadair wrth y tân yn y neuadd. Byddai'n rhaid i Bob redeg i mewn ac eistedd o'i flaen gan roi ei bawen ar ei lin. Dywedodd Linda y byddai'n rhaid i fi ddysgu Bob i ufuddhau i'r gorchymyn 'Eistedd!' Yna byddai'n rhaid i fi ei ddysgu i godi'i bawen ar y gorchymyn 'Pawen'.

Buon ni wrthi am awr, ac ar y diwedd ro'n i'n weddol sicr fod Bob yn deall beth i'w wneud. Roedd e hefyd wedi cael sawl darn o sosej, ac roedd e wrth ei fodd!

O'r diwedd, meddai Linda, 'Dw i'n mynd i weld a yw

74

Sam yn rhydd. Bydd yn dda iddo gyfarfod â Bob cyn bod y ffilmio go iawn yn dechrau.'

Ro'n i wedi bod yn canolbwyntio'n galed ar ddysgu Bob sut i ufuddhau, ac wedi anghofio am bopeth oedd yn digwydd o'n cwmpas ni. Ro'n i ar fin gofyn 'Pwy yw Sam?' Yna cofiais – Sam Santana, fy arwr i! Daeth Linda'n ôl bron ar unwaith, a Sam Santana gyda hi. Yn sydyn ro'n i'n teimlo'n nerfus – dyma'r dyn ro'n i wedi'i weld ganwaith ar y teledu! Ond doedd dim angen bod yn nerfus, achos roedd Sam yn gyfeillgar iawn. Gwenai'n llydan wrth benlinio a roi mwythau i Bob. Roedd Linda wedi rhoi darn mawr o sosej iddo'i roi i Bob. Doedd Bob ddim yn gallu credu'i lwc! Doedd e erioed wedi cael cymaint o dameidiau blasus!

Daeth Linda â chadair draw ac eisteddodd Sam arni. Dyma fi'n gorchymyn Bob i eistedd a rhoi ei bawen. Wnaeth Bob ddim gwrando arna i'r tro cynta na'r ail dro, ond roedd Sam yn amyneddgar, ac ymhen ychydig roedd Bob yn gwneud ei ran yn berffaith.

Yna'n sydyn daeth llais o'r tu cefn i ni, 'Sam! Dyma lle'r wyt ti! Dw i wedi bod yn chwilio amdanat ti ym mhobman! Mae hi'n amser cinio. Rwyt ti wedi addo mynd â fi i lawr i'r dre am damaid o fwyd!'

Brud Gwenlli oedd yno. Ew! Roedd hi'n hardd! Roedd ganddi wallt du hir a llygaid glas golau. Ond roedd golwg ddiflas ofnadwy ar ei hwyneb.

'Mae'n ddrwg gen i, cariad,' meddai Sam, gan godi a

75

rhoi cusan ysgafn iddi ar ei boch. 'Dw i 'di bod yn cyfarfod â Bob. Mae Cris wedi bod yn dysgu triciau iddo ar gyfer y ffilmio. Beth am ddweud "Helô", Bob?'

Mae Bob yn gi cyfeillgar, ac aeth draw at Brud Gwenlli gan siglo'i gynffon. Edrychodd Brud yn gas arno. 'Ych a fi,' meddai, 'mae'n gas gen i gŵn. Hen bethau budron.' Ac anelodd gic i Bob druan.

Dywedodd Sam Santana ar unwaith, 'Popeth yn iawn, Bob,' a gwaeddais i, 'BOB!' Dychrynodd Bob druan ac aeth i guddio y tu ôl i fi. Pam roedd yn rhaid i Brud Gwenlli ddifetha'r bore?

Aeth Sam a Brud i ffwrdd i gael cinio. Winciodd Sam arnaf y tu ôl i'w chefn hi. Erbyn hyn roedd y grŵp merched wedi gorffen ymarfer hefyd, a daeth Heledd draw.

'Welaist ti hynna?' dywedais wrthi. 'Welaist ti Brud Gwenlli'n anelu cic at Bob?' Ro'n i'n gandryll.

'Merch ddiflas yw hi. Does neb ohonon ni'n ei hoffi hi,' meddai Heledd. 'Ond mae Sam yn grêt. Ew! Ry'n ni wedi gweithio'n galed!' meddai. 'Wyt ti'n dod i gael cinio?'

Roedd bwyd blasus wedi'i osod allan ar fyrddau hir ar gyfer pawb oedd yn cymryd rhan yn y ffilm – brechdanau o bob math, creision, ffrwythau a chacennau.

Ar ôl cinio aeth Heledd a fi am dro o gwmpas tir y castell. Cofiais am y pennill ac am Heulyn – tybed allwn i ddod o hyd i unrhyw gliwiau am y deryn aur? Edrychais yn ofalus ymhobman, ond welais i ddim byd o gwbl allai fy

76

helpu. Doedd dim argoel o gerfiadau na cherfluniau ar siâp deryn o unrhyw fath.

Yn fuan ar ôl cinio daeth y bws mini i'n casglu i fynd â ni adre. Roedd Mr Waterman yno'n ffarwelio â ni.

'Byddwn ni'n ffilmio'n go iawn ddydd Llun,' meddai. Trodd at y grŵp merched, gan gynnwys Heledd. 'Ferched, cofiwch bopeth rydych chi wedi'i ymarfer heddiw.' Yna daeth draw at Bob a fi. 'Hwyl i ti fy ffrind,' meddai wrth Bob. Eisteddodd Bob ar y llawr o'i flaen a chodi'i bawen fel roedd wedi dysgu ei wneud. Chwerthin wnaeth Mr Waterman a chymryd arno ysgwyd llaw â Bob. 'Wela i chi ddydd Llun, Cris a Bob,' meddai.

Wel Mr D, bydd yn rhaid i Bob a fi ymarfer yn galed fory a dydd Sul. Dw i eisiau iddo fe wneud popeth yn berffaith i Mr Waterman – ac i Sam Santana.

Fydd Twm a'r bechgyn eraill yn yr ysgol ddim yn credu mod i wedi bod yn siarad â Sam Santana! Rhaid i mi dynnu llun ohono ar fy ffôn symudol.

Trueni nad o'n i wedi dod o hyd i unrhyw gliw am gyfrinach Castell Efa. Tybed ydy Heulyn wedi dod ar draws unrhyw beth yn y llyfr?

Mae hwn yn wyliau cyffrous!

Nos da, Mr D.

O.N. Dw i newydd gael neges destun oddi wrth Heulyn: 'Wedi gweld rhywbeth pwysig yn y llyfr. Gweld t fory. Heulyn.' Tybed beth mae e wedi'i ddarganfod?

77

12

CYFRINACHAU

Pan aeth Cris a Bob draw i Blas y Golomen fore Sadwrn, sylwodd Cris ar unwaith fod rhywbeth yn wahanol am y lle. Doedd e ddim yn gallu dyfalu beth, a safodd am funud yn ceisio meddwl. Doedd dim yn wahanol am y tŷ, ond wrth edrych ar y bwa haearn mawr du dros y glwyd fe sylweddolodd beth oedd o'i le. Fel arfer roedd rhosod gwyn hardd yn tyfu drosto, ond heddiw roedd e'n foel. Roedd y rhosod wedi diflannu. Pam, tybed?

Canodd Cris y gloch a daeth Heledd at y drws. Edrychodd y tu ôl iddi a sibrwd yn gyflym, 'Paid â dweud gair wrth Mam am y rhosod!'

Doedd Cris ddim yn deall o gwbl, ond pan gerddodd mam Heledd heibio, dywedodd Cris 'Bore da' yn gwrtais wrthi, a dim mwy.

Ar ôl iddyn nhw gyrraedd stafell Heulyn yng

78

nghefn y tŷ, gofynnodd Cris, 'Pam do'n i ddim i fod i sôn am y rhosod? Be sy wedi digwydd iddyn nhw? Oes rhywun wedi'u torri nhw i lawr?'

Chwerthin wnaeth Heulyn, ond ochneidiodd Heledd. 'Ddoe, pan oedden ni allan, llwyddodd Lolipop i ddod yn rhydd rywsut ac aeth ati i fwyta'r rhosod. Erbyn i Dad ei weld e, roedd e wedi bwyta popeth ar un ochr o'r bwa. Roedd yn rhaid i Dad dorri'r gweddill i lawr wedyn, neu byddai'n edrych yn od. Mae Mam o'i cho. Roedd y llwyn rhosod yn hen iawn.'

'Ble mae Lolipop heddiw?' gofynnodd Cris.

'Yn y sièd ar waelod yr ardd. Mae e mewn trwbl,' atebodd Heulyn gan wenu. 'Gest ti fy neges i?' gofynnodd.

Roedd Heulyn yn edrych yn llawn cyffro. Fel arfer roedd e'n welw, ond heddiw roedd tipyn o liw yn ei fochau a'i lygaid yn disgleirio.

'Do,' atebodd Cris. 'Beth yw'r newyddion pwysig?'

Roedd llyfr Tad-cu yn gorwedd ar lin Heulyn. 'Dw i wedi bod yn darllen *Cyfrinachau Llanadar*,' meddai. 'Mae 'na bennod sy'n adrodd hanes Sara Ann a Mererid, oedd yn byw yn Oes Fictoria. Mae'n dweud, "Priododd merched perchennog Castell Efa, sef Sara Ann a Mererid, â dau ddyn lleol. Pysgotwr oedd gŵr Mererid a gof oedd gŵr Sara Ann. Eu brawd, Tomos, oedd yn mynd i etifeddu Castell Efa, a doedd ef a'r merched ddim yn ffrindiau. Ond roedd eu tad yn hoff iawn ohonyn nhw ac roedd e'n awyddus iddyn nhw fyw yn agos ato. Felly adeiladodd gartrefi i'r merched ar lan y môr er mwyn iddo allu edrych drwy ffenestri'r Castell a gwylio'r adar yn hedfan uwchben cartrefi ei ferched. Dyna pam y mae'r tai wedi cael eu henwi ar ôl adar, sef Plas y Golomen a Phlas yr Wylan".'

Roedd llygaid Cris yn pefrio. Roedd hyn yn newyddion anhygoel! Perchennog Castell Efa oedd wedi adeiladu cartrefi Tad-cu a Heledd a Heulyn!

Ond doedd Heulyn ddim wedi gorffen eto. 'Gwranda ar hyn,' meddai. '"Tua'r adeg yma, aeth casgliad o bethau gwerthfawr ar goll o Gastell Efa – gemwaith a phob math o drysorau hardd. Y peth mwyaf gwerthfawr oedd aderyn wedi'i wneud yn gyfangwbl o aur. Roedd rhai'n dweud bod y tad wedi rhoi'r trysorau i'w ferched yn anrhegion. Roedd eraill yn dweud mai eu dwyn nhw wnaeth y merched. Mae trysor Castell Efa ar goll hyd heddiw. Yn ôl yr hanes, mae tri phennill yn dweud lle mae'r aderyn aur wedi ei guddio. Mae un pennill yn adnabyddus, ond does neb wedi dod o hyd i'r ddau bennill arall".'

'O, hoffwn i ddod o hyd i'r gemwaith,' meddai Heledd. 'Byddwn i wrth fy modd yn gwisgo diemwnt ac emrallt a saffir a rhuddem . . .'

'Trueni na allen ni ddod o hyd i'r ddau bennill arall,' meddai Cris. Meddyliodd am funud. 'Wyt ti'n meddwl mai dyna beth mae Barri'n ei wneud – chwilio am y trysor?' gofynnodd i Heulyn.

'Dw i ddim yn siŵr,' atebodd Heulyn yn araf. 'Mae'n edrych yn debyg ei fod e'n helpu Ella Higgins – mae hynny'n ddigon drwg. Ond falle'i fod e'n chwilio am y trysor hefyd! Bydd yn ofalus, Cris, bydd yn ofalus iawn,' meddai mewn llais gofidus.

Ar y gair dyma gnoc ar ddrws y stafell, a daeth mam Heulyn a Heledd i mewn. Roedd hi'n cario hambwrdd, gyda thri gwydraid o sudd oren a phlataid o fisgedi siocled arno.

'O diolch, Mam,' meddai Heledd.

Roedd hi'n amlwg fod ei mam mewn hwyliau gwell erbyn hyn, ar waethaf triciau Lolipop, oherwydd meddai wrth Heledd, 'Beth am i ti ddod â Lolipop allan o'r sièd a'i glymu wrth y

81

goeden falau? Ond cofia, gofala dy fod ti'n ei glymu'n ddigon tyn!'

Gwenodd ac esgus rholio'i llygaid ar yr un pryd. Yfodd Heledd ei sudd oren ac i ffwrdd â hi allan i gyfeiriad sièd Lolipop. 'Tyrd, Bob,' meddai. 'Fe gawn ni gêm yn yr ardd.'

Ar ôl i Heledd a Bob fynd allan, edrychodd Heulyn a Cris unwaith eto ar y ddau baragraff pwysig. Dywedodd Heulyn ei fod bron â gorffen darllen y llyfr, ond nad oedd wedi dod ar draws unrhyw beth arall o ddiddordeb. Bu'r ddau'n sgwrsio ychydig am eu gwybodaeth newydd ac yn ceisio dyfalu ble gallai'r deryn aur fod. Beth ddylen nhw wneud nesaf, tybed? Yna meddai Heulyn, 'Wel, does dim mwy allwn ni 'i wneud heddiw. Beth am i ni roi cynnig arall ar y gêm?'

'"Lleu a'r Lleidr Llwyd", wyt ti'n feddwl? Wyt ti wedi mynd ymhellach arni?' holodd Cris.

'Na, ro'n i'n rhy brysur yn darllen drwy'r dydd ddoe,' meddai Heulyn.

Aeth y ddau i eistedd o flaen y sgrin fawr. Pwysodd Heulyn y botwm i agor y gêm, ac yn fuan daeth y pedwar porth ar y sgrin.

'Mae Lleu wedi methu ennill y cleddyf yn Oes Owain Glyndŵr,' meddai. 'Rhaid i ni drio un o'r tri phorth arall.'

82

Meddyliodd Cris am eiliad. Beth oedd y tri dewis? Stadiwm y Mileniwm, Henffych Harri Morgan, a'r drws bach du heb enw arno.

'Môr-leidr oedd Harri Morgan, ontefe?' meddai. 'Roedd môr-ladron yn defnyddio cleddyfau. Beth am i ni drio'r porth yna?'

'Na, dw i am fynd i Stadiwm y Mileniwm gynta,' meddai Heulyn. 'Dw i erioed wedi bod yno, ond dw i wrth fy modd yn gwylio gêmau rygbi ar y teledu. Beth am i ni roi cynnig ar fynd â Lleu yno?'

Cytunodd Cris, a gwasgodd Heulyn fotwm porth Stadiwm y Mileniwm.

Ar unwaith roedd y stafell yn llawn sŵn a gweiddi croch. Roedd gêm rygbi yn y Stadiwm. Pwy oedd yn chwarae? O, ie – Cymru yn erbyn Awstralia. Am ychydig amser bu'r ddau fachgen yn gwylio'r gêm. Roedd hi'n gêm agos iawn, ond roedd Cymru'n ymosod yn galed yn hanner Awstralia o'r maes. Daliwyd y bêl gan un o'r Cymry. Dyn byr oedd e, ond roedd e'n gallu rhedeg fel y gwynt. Anelodd yn syth am y llinell gyda phedwar o chwaraewyr Awstralia ar ei ôl. Oedden nhw'n mynd i'w ddal? Roedd e bron â chyrraedd y llinell – roedd e drosodd!

'Mae Cymru wedi sgorio cais!' gwaeddodd y

83

dyn ar y system sain. Bloeddiodd y dyrfa, 'Hwrê! Hwrê!' Taflodd y chwaraewyr eraill eu hunain ar ben yr un oedd wedi sgorio, a phawb wrth eu bodd!

Yna cododd un llais yn uwch na phawb arall. 'Cymru am byth! I'r gad! I'r gad!' Pwy yn y byd oedd yn gweiddi?

Roedd Cris a Heulyn wedi bod yn gwylio'r gêm ac yn bloeddio 'Hwrê!' gyda'r dyrfa. Roedd y ddau wedi anghofio'r cwbl am Lleu. Ble yn y byd oedd e? Yna, yn sydyn, dechreuodd Cris a Heulyn bwffian chwerthin.

Roedd botwm bach ar y sgrin ac roedd yn rhaid i Heulyn ei bwyso pan fyddai Lleu yn mynd trwy un o'r pedwar porth. Ar ôl iddo wasgu'r botwm, roedd Lleu yn toddi i mewn i'r oes roedd e newydd ei chyrraedd. Roedd ei ddillad yn newid i rai'r cyfnod, ac edrychai fel petai'n perthyn i'r oes.

Ond wrth wylio'r gêm rygbi, roedd Heulyn wedi anghofio pwyso'r botwm!

Safai Lleu ar flaen y dyrfa ar gyrion y maes. Roedd e'n gwisgo'i arfwisg gyda chleddyf yn ei wregys. Doedd Heulyn ddim wedi rhoi unrhyw orchymyn iddo symud, ond roedd e'n gweiddi nerth ei ben wrth wylio'r gêm – 'Cymru am Byth!

I'r gad! I'r gad!' Edrychai'r dyrfa a'r chwaraewyr yn syn ar y marchog, a Heulyn a Cris yn chwerthin nes bod dagrau'n powlio lawr eu hwynebau. Syllai'r chwaraewyr yn gegagored ar Lleu, ond roedd capten Cymru'n ddyn cyfrwys a gwelodd sut y gallai ddefnyddio'r sefyllfa er lles ei dîm. Dechreuodd yntau hefyd weiddi 'I'r gad! I'r gad!' Yn fuan roedd ei dîm yn gweiddi gydag ef. Roedd Lleu wrth ei fodd! Ond yna aeth pethau o chwith. Tynnodd Lleu ei gleddyf o'i wregys, a chydag un waedd fawr dechreuodd redeg ar ôl capten tîm Awstralia. Rhedodd hwnnw i ffwrdd ar draws y cae nerth ei draed, â Lleu ar ei sodlau yn chwifio'i gleddyf ac yn gweiddi!

Yn frysiog iawn, gwasgodd Heulyn y botwm a rhewodd y sgrin. Roedd Cris ac yntau'n dal i bwffian chwerthin.

'Gwell i ni ddod â Lleu allan o'r Stadiwm cyn i rywbeth ofnadwy ddigwydd,' meddai Cris. Edrychodd yn ofalus ar bob cornel o'r sgrin, ond doedd dim sôn am y Lleidr Llwyd na'r cleddyf Caledfwlch yn unman.

Gwasgodd Heulyn y botwm ac roedden nhw'n ôl o flaen y pedwar porth unwaith eto.

'O wel, cystal i ni fynd â Lleu trwy borth Henffych Harri Morgan,' meddai Heulyn gan bwyso'r botwm.

Ar unwaith newidiodd y sgrin eto. Y tro hwn, roedden nhw mewn porthladd prysur rhyw bedwar can mlynedd yn ôl. Roedd llawer o bobl o gwmpas a phawb yn gwisgo dillad lliwgar. Roedd gan y dynion hetiau mawr â phluen yn addurno rhai ohonyn nhw. Roedd hi'n edrych fel

86

petai hi'n wlad boeth. Rhaid ein bod ni yn y Caribî, meddyliodd Cris.

Roedd nifer o longau yn y porthladd, a dynion yn dadlwytho nwyddau allan o un ohonyn nhw. Roedd pobl o gwmpas yn galw, 'Hei, fechgyn! Faint o drysor gawsoch chi'r tro hwn? Oedd Capten Morgan yn llwyddiannus?'

Roedd dyn yn sefyll yn urddasol ar fwrdd y llong, yn gwylio'r dadlwytho. Roedd ganddo gleddyf yn ei wregys a het fawr drichornel am ei ben, â phluen goch ynddi. Gwisgai gôt sidan o liw coch tywyll.

'Rhaid mai Harri Morgan yw e!' meddai Heulyn.

Y tro hwn, cofiodd Heulyn wasgu'r botwm oedd yn gwneud i Lleu doddi i mewn i'r cyfnod, ac ar unwaith edrychai fel môr-leidr go iawn. Gwisgai got lliw glas tywyll a het â phluen werdd ynddi. Roedd y morwyr yn dal i ddadlwytho'n brysur. Syllodd y bechgyn i bob cornel o'r sgrin, yn chwilio am y Lleidr Llwyd.

Yn sydyn, gwaeddodd Cris, 'Dacw fe! Dacw'r Lleidr Llwyd!' Tra oedd pawb yn gwylio Capten Morgan, roedd y Lleidr Llwyd wedi sleifio oddi ar y llong ac roedd e'n cerdded i ffwrdd yn gyflym. Fel fflach, gwasgodd Heulyn y botwm

87

ac anfon Lleu ar ei ôl. Dechreuodd y Lleidr Llwyd redeg i gyfeiriad y dref, ar hyd lonydd cul. Er ei fod e'n diflannu weithiau, roedd Lleu'n ennill tir arno. Oedd e'n mynd i'w ddal? Yn sydyn, daeth tyrfa i gyfarfod â nhw o'r cyfeiriad arall. Roedd y morwyr wedi codi Capten Harri Morgan ar eu hysgwyddau ac yn ei gario mewn gorymdaith, gan weiddi 'Capten Morgan am byth!' Mewn eiliad roedd y Lleidr Llwyd wedi diflannu i ganol y dyrfa. Ceisiodd Lleu wthio'i ffordd ar ei ôl, ond roedd y Lleidr Llwyd wedi diflannu. Doedd dim golwg ohono yn unman.

'Hm, mae'n amlwg nad yw Lleu'n mynd i ddal y Lleidr Llwyd fan hyn chwaith,' meddai Heulyn. Unwaith eto gwasgodd fotwm a mynd yn ôl at y pedwar porth.

'Dim ond un porth sydd ar ôl,' meddai.

'Ie,' meddai Cris, 'ond mae'n rhaid i fi fynd adre nawr. Dydd Sadwrn yw hi, ac mae'r siop yn brysur. Dw i wedi addo mynd i siopa am fwyd i helpu Mam. Mae'n rhaid i fi ymarfer Bob hefyd ar gyfer y ffilmio ddydd Llun.'

'Fe wna i aros nes byddi di'n gallu dod yn ôl cyn mynd trwy'r porth bach du,' meddai Heulyn. 'A rhaid i mi ddarllen *Cyfrinachau Llanadar* eto

88

hefyd rhag ofn mod i wedi colli rhywbeth pwysig. Mae'n *rhaid* i ni drio dod o hyd i'r trysor.'

'Rhaid wir, cyn i Barri wneud,' meddai Cris, ac edrychodd y ddau ar ei gilydd.

13

Awst 1   Nos Lun

Annwyl Mr D,

Dw i ddim wedi sgrifennu gair ers dydd Gwener, achos dw i wedi bod yn rhy brysur.

Dydd Sadwrn, es i i weld Heledd a Heulyn yn y bore, yna roedd yn rhaid i fi helpu Mam i siopa ac ati.

Nos Sadwrn meddai Mam, 'Beth am i ni fynd allan i gael pryd o fwyd?' Ac fe aethon ni i fwyty Eidalaidd yn y dref. Mmm! Roedd e'n bryd blasus!

'Byddwn ni'n bwyta bwyd Eidalaidd go iawn yn yr Eidal cyn bo hir,' dywedais wrth Mam.

Ond a dweud y gwir, mae cymaint o bethau'n digwydd fan hyn, dw i wedi anghofio popeth am fynd i'r Eidal!

Yna, ddoe, roedd yn rhaid i fi ymarfer gyda Bob. Mae tri gorchymyn mae'n rhaid iddo eu dysgu, 'Dere!', 'Eistedd!' a 'Pawen!' Gofynnais i Mam esgus cymryd lle Sam Santana. Ro'n i'n galw 'Eistedd' a 'Pawen!' ac roedd Bob yn rhedeg at Mam ac yn rhoi ei bawen iddi. Chwarae teg i Bob, mae'n ufuddhau bob tro – wel, bron.

90

Heddiw, dydd Llun, oedd diwrnod y ffilmio. Wnes i ddim cysgu llawer neithiwr gan mod i mor gyffrous! Codais yn gynnar i roi bath i Bob a'i frwsio'n dda, ac yna daeth y bws mini i'n nôl ni a Heledd. Ro'n i'n teimlo'n reit nerfus. Cyn gynted ag y cyrhaeddon ni Gastell Efa, daeth Linda, yr hyfforddwraig, draw aton ni.

'Haia Bob!' meddai'n gyfeillgar. Yna meddai wrtha i, 'Rwyt ti'n edrych yn nerfus. Dwyt ti ddim yn poeni, wyt ti?'

'Chydig bach,' atebais.

'Tria beidio,' meddai, 'neu fe fydd Bob yn teimlo'n nerfus hefyd.'

Cawson ni ymarfer bach, yna dywedodd Linda, 'Da iawn, Bob!' Trodd ata i a dweud, 'Rwyt ti wedi dysgu Bob yn dda.' Dechreuais i deimlo'n well!

Yn y bore, roedd Mr Waterman a'r criw yn ffilmio golygfeydd eraill. Roedd Bob a fi'n eistedd ar un ochr i'r set ac yn gwylio popeth. Roedd pawb yn eu gwisgoedd heddiw, ac roedden nhw'n edrych yn ffantastig! Roedd Heledd yn gwisgo ffrog hir o sidan glas, ac roedd ei gwallt wedi'i blethu o gwmpas ei phen. Roedd Sam Santana'n gwisgo cot hir, mewn lliw coch tywyll, a gwasgod aur, ac roedd ei fŵts du yn sgleinio yn yr haul.

Yna cawson ni ginio. Roedd yn rhaid i bawb fod yn ofalus iawn o'u gwisgoedd! Ac o'r diwedd roedd hi'n bryd ffilmio golygfeydd Bob.

'Ydych chi'ch dau'n barod?' gofynnodd Mr Waterman.

91

'Ydyn,' atebais. Ro'n i'n teimlo'n nerfus iawn, ond yn ceisio peidio â dangos hynny i Bob. Yn yr olygfa gyntaf, roedd Bob yn rhedeg ar draws y buarth tuag at Sam Santana. Cymerais fy lle ar un ochr i'r buarth y tu ôl i Sam, ac aeth Linda â Bob i sefyll ar yr ochr arall.

'Fe gawn ni ymarfer gynta,' meddai Mr Waterman.

Dyma fi'n galw 'Dere!' a rhedodd Bob draw ata i.

'Gwych!' meddai Mr Waterman. 'Nawr, tawelwch, os gwelwch yn dda!' gwaeddodd. 'Heblaw amdanat ti, wrth gwrs, Cris,' meddai. 'Byddwn ni'n torri dy lais di allan yn nes ymlaen.'

A dyna ni! Mewn ychydig funudau, roedd yr olygfa drosodd, ac roedd pawb yn gwenu.

'Perffaith!' meddai Mr Waterman.

Nawr roedd hi'n bryd ffilmio'r ail olygfa. Y tro yma roedden ni yn y neuadd, o flaen tanllwyth o dân. Roedd hi'n boeth yno, achos roedd hi'n ddiwrnod braf y tu allan. Gwelais fod nifer o'r pethau o siop Tad-cu o gwmpas y neuadd. Roedd y cwpwrdd cornel roedd Mr Waterman wedi ei brynu iddo'i hun yno, ac uwchben y lle tân roedd y llun olew o Gastell Efa o stafell wely Tad-cu.

Meddai Mr Waterman, 'Fe fydd Syr Tomos yn eistedd yn y gadair wrth y tân, a rhaid i Bob ddod draw a rhoi ei bawen ar ei lin. Yna rhaid i ti a Bob aros yn llonydd am eiliad nes bod y camera'n troi at Brud. Bydd hi'n dod â newyddion drwg i Syr Tomos.'

92

Cawson ni un ymarfer. Aeth Linda â Bob a'i ddal wrth ddrws y neuadd ac ro'n i yn fy nghwrcwd, allan o olwg y camera, y tu ôl i gadair Sam. Dyma fi'n galw, 'Dere!' ac ufuddhaodd Bob. Yna dywedais 'Eistedd!' ac eisteddodd Bob o flaen Sam. 'Pawen!' Cododd Bob ei bawen a gafaelodd Sam ynddi ar unwaith.

Aeth yr ymarfer yn wych. Roedd pawb yn wên o glust i glust, a Sam wrth ei fodd â Bob. Trodd a dweud wrtha i, gan wincio, 'Hoffwn i gael ci fel Bob. Faint wyt ti eisiau amdano – fydd mil o bunnau'n ddigon?'

Yna daeth Linda i nôl Bob eto a dechreuodd y ffilmio go iawn. 'Dere!' dywedais, a dyma Bob yn dod. 'Eistedd!' dywedais, a dyma Bob yn eistedd. 'Pawen!' dywedais. Roedd Bob ychydig yn araf yn codi'i bawen, ond gafaelodd Sam ynddi'n gyflym. Diolch i'r drefn – roedd popeth wedi mynd yn iawn! Y cwbl oedd ar ôl nawr oedd aros i'r camera droi at Brud Gwenlli.

Ond dyna lle'r aeth popeth o chwith. Trodd y camera at ddrws y neuadd wrth i Brud Gwenlli ddod i mewn trwyddo. Roedd hi'n edrych yn hardd mewn ffrog wen, hir a siôl sidan, liwgar am ei hysgwyddau. Roedd hi'n syllu ar lythyr oedd yn ei llaw. Yn sydyn, sgrechiodd yn uchel, 'Na! Alla i ddim credu! Na!'

Bu bron i mi neidio allan o nghroen. Do'n i ddim wedi disgwyl hynna! Doedd Mr Waterman ddim wedi dweud y byddai hi'n sgrechian. Doedd Bob ddim yn ei ddisgwyl

93

chwaith – ac roedd e'n cofio bod Brud Gwenlli wedi anelu cic ato. Meddyliodd ei bod yn hen bryd iddo ddianc. Rhedodd rownd y gadair ata i ond, wrth wneud, baglodd dros offer y dyn camera. Syrthiodd yr offer i'r llawr â bang anferth, nes bod pobman yn ysgwyd. A syrthiodd llun olew Tad-cu o Gastell Efa oddi ar y wal ar y llawr carreg.

Am helynt! Chlywais i erioed neb yn gwneud cymaint o ffỳs â Brud Gwenlli. Cafodd Sam a Mr Waterman drafferth i'w thawelu. Ro'n i'n teimlo'n ofnadwy. Daeth Linda draw a sibrwd, 'Paid â phoeni. Mae Bob wedi gwneud ei waith yn grêt. Mae Brud yn creu rhyw helynt bob dydd.'

Aeth Bob a fi i eistedd yn dawel mewn cornel, ac yn fuan daeth Sam Santana draw. Ddywedodd e 'run gair am y ddamwain, ond yn ei law roedd darn mawr o sosej i Bob! Chwarae teg iddo! Yna daeth Mr Waterman draw aton ni.

'Mae'n wir ddrwg gen i . . .' dechreuais.

'Paid â phoeni,' meddai Mr Waterman, 'mae popeth yn iawn. Fydd dim rhaid i ni ffilmio Bob eto. Ond, yn anffodus, mae tipyn o ddifrod wedi'i wneud i ffrâm y llun.'

'Fe af i ag e adre i'w drwsio,' dywedais.

'Fe dalwn ni, wrth gwrs,' meddai Mr Waterman. 'Ond rydyn ni wedi ffilmio sawl golygfa yn y neuadd ac mae angen llun ar y wal uwchben y tân. Dwyt ti ddim yn digwydd gwybod oes 'na lun arall tebyg yn y siop, wyt ti?'

94

Meddyliais yn galed. Ro'n i'n siŵr mod i wedi gweld llun tebyg yn rhywle – ond ymhle?

Yna daeth llais o rywle. Roedd Heledd wedi clywed y sŵn ac wedi dod i weld beth oedd o'i le.

'Esgusodwch fi, Mr Waterman,' meddai, 'ond mae llun tebyg iawn yn ein tŷ ni. Dw i'n siŵr y byddai fy rhieni'n fodlon i chi ei fenthyca.'

Wrth gwrs! Y llun yn stafell Heulyn!

Daeth un o'r cynorthwy-wyr â llun Tad-cu ataf, wedi'i lapio mewn papur. 'Anfonwch y bil am ei drwsio i ni,' meddai.

Ar y ffordd adre yn y bws mini, meddai Heledd, 'Wyt ti am i fi ofyn i Dad drwsio'r ffrâm? Mae e'n saer coed da iawn.' Ac fe aeth hi â'r pecyn i mewn i'r tŷ.

Chwarae teg i Mam, wnaeth hi ddim beio Bob. Gwelodd ein bod ni'n teimlo'n drist ac meddai'n garedig, 'Beth am i ti fynd â Bob am dro i'r traeth tra mod i'n cau'r siop? Dw i wedi cael diwrnod go dda heddiw.'

Ar y ffordd i'r traeth, meddyliais, os yw'r siop yn gwneud digon o arian, falle na fydd yn rhaid gwerthu'r tŷ i Ella Higgins wedi'r cwbl.

Dw i'n mynd drws nesa bore fory i weld a yw tad Heledd yn gallu trwsio ffrâm y llun.

Nos da, Mr D.

95

14

BLE MAE'R LLEIDR LLWYD?

Y bore wedyn, roedd Cris a Mam yn cael brecwast yn y fflat pan ganodd ffôn symudol Cris.

Heledd oedd yno. 'Dere draw cyn gynted ag y galli di,' meddai, 'mae gan Heulyn rywbeth i'w ddweud. A dyw e ddim yn newyddion da!'

'Beth yn y byd sy'n bod? Ydy Heulyn yn sâl?'

'Na, dim byd fel'na,' meddai Heledd. 'Paid â bod yn hir. A chofia ddod â Bob.'

Am chwarter wedi naw aeth Mam i agor y siop. Golchodd Cris y llestri brecwast, ac yna aeth ef a Bob i lawr y grisiau ar eu ffordd i Blas y Golomen.

'Dw i'n mynd i weld Heulyn a Heledd,' meddai wrth Mam. 'Wyt ti eisiau i fi wneud tipyn o siopa ar fy ffordd adre?'

Gwnaeth Mam restr o'r pethau roedd hi eu heisiau o'r siop, ac wrth i Cris aros iddi orffen edrychodd o'i gwmpas i weld ble roedd Barri. O'r diwedd, gwelodd ef yn dod allan o'r storfa gefn. Wrth i Barri weld Cris, daeth golwg wawdlyd i'w lygaid. Doedd Cris ddim yn deall. Beth oedd wedi digwydd?

Gorffennodd Mam y rhestr, ac aeth Cris a Bob i Blas y Golomen. Cyn gynted ag yr agoron nhw'r glwyd a mynd o dan y bwa du, clywson nhw 'Hî-Hô' byddarol. Roedd Lolipop o gwmpas y lle yn rhywle!

Agorodd Heledd y drws cyn i Cris ganu'r gloch. Roedd golwg ddifrifol arni, ac meddai ar unwaith, 'Mae gan Heulyn rywbeth i'w ddweud wrthot ti.'

Druan â Heulyn! Edrychai'n welw, ac roedd e'n amlwg yn poeni. Meddai wrth Cris, 'Pan oeddet ti a Heledd yng Nghastell Efa ddoe, aeth Dad â fi am drip yn y car. Tra oedden ni allan, daeth Barri at y drws. Dywedodd wrth Mam dy fod ti wedi rhoi benthyg llyfr i fi – llyfr pwysig – a bod angen y llyfr arno ar gyfer gwneud ei waith. Wrth gwrs, roedd Mam yn meddwl ei fod yn dweud y gwir, a dyma hi'n rhoi *Cyfrinachau Llanadar* iddo. Mae'n wir ddrwg gen i, Cris.'

'Paid â phoeni,' atebodd Cris ar unwaith. 'Nid dy fai di yw hyn. Ond dw i'n casáu Barri'n fwy

97

bob dydd,' meddai rhwng ei ddannedd. 'Dw i'n deall nawr pam roedd e'n edrych mor wawdlyd arna i heddiw ac mae'n amlwg pam nad yw Mam-gu'n ei hoffi.' Meddyliodd am ychydig. 'Mae Barri'n gwybod ein bod ni'n chwilio am y trysor. Roedd e eisiau gweld pa wybodaeth gawson ni o'r llyfr. Gyda llaw, welaist ti rywbeth arall pwysig yn y llyfr ers i ni fod yn siarad ddiwetha?'

'Na, darllenais i e drwyddo ddwywaith,' meddai Heulyn, 'ond doedd dim rhagor o wybodaeth ynddo am Gastell Efa.'

'Wel,' meddai Heledd, 'dw i ddim yn meddwl y byddwn ni'n darganfod y trysor heb ddod o hyd i'r penillion. Dyna lle mae'r cliw holl bwysig.'

'Ie,' meddai Cris. 'Ond does gen i ddim syniad ble i chwilio amdanyn nhw. Edrychais o gwmpas Castell Efa, ond doedd dim byd i'w weld.' Yna meddai wrth Heulyn, 'Glywaist ti am yr helynt ar ôl i Brud Gwenlli sgrechian ddoe?'

'Do,' atebodd Heulyn. Roedd e'n edrych yn well ar ôl cael dweud ei newyddion drwg, ac wrth i Heledd a Cris ddisgrifio'r helynt eto dechreuodd wenu.

Daeth cnoc ar y drws a daeth tad Heulyn i mewn.

'O, helô Cris,' meddai. 'Ro'n i'n meddwl mod i wedi clywed dy lais di. Dweda wrth dy fam y bydda i'n gallu trwsio'r ffrâm yn reit dda.'

'Grêt,' meddai Cris. 'Oedd llawer o ddifrod?'

'Na, dim llawer, diolch byth,' atebodd. Trodd i fynd allan. 'O gyda llaw,' meddai, 'roedd hwn rhwng y llun a chefn y ffrâm. Gwell i ti ei roi i dy fam ar unwaith.'

Rhoddodd ddarn bach o bapur i Cris. Hen bapur oedd e, wedi melynu ac wedi'i blygu'n bedwar.

'Diolch,' meddai Cris, gan roi'r papur yn ei boced.

Trodd Cris yn ôl at Heulyn. 'Wyt ti wedi mynd rywfaint pellach gyda'r gêm?' gofynnodd.

'Na, ro'n i'n disgwyl amdanat ti,' atebodd Heulyn. 'Gawn ni roi cynnig arni?'

Eisteddodd y tri o gwmpas y sgrin, yn edrych ymlaen at chwarae'r gêm eto. Swatiodd Bob wrth eu traed – doedd dim gobaith mynd am dro am sbel, felly. O wel! Man a man iddo gysgu, felly!

Gwasgodd Heulyn y botwm i gychwyn y gêm. Yn fuan roedden nhw'n syllu ar y pedwar porth.

'Wel,' meddai Heulyn, 'dim ond un dewis sy ar ôl.' Dewisodd y drws bach du a daeth llun o adeilad mawr gwyn i lenwi'r sgrin. Roedd e'n adeilad hardd, ac yn edrych yn gyfarwydd hefyd, rywsut.

'Dw i'n siŵr mod i wedi gweld y lle yna o'r blaen,' meddai Cris.

'Llyfrgell Genedlaethol Cymru yw e,' meddai Heledd. 'Aethon ni ar drip yno o'r ysgol.'

Safai Lleu yn y sgrin yn ei arfwisg gan syllu i gyfeiriad yr adeilad. Gwasgodd Heulyn y botwm oedd yn gwneud iddo doddi i mewn i wisg y cyfnod – doedd e ddim yn mynd i anghofio gwneud hynny'r tro hwn! Yn sydyn, roedd Lleu'n gwisgo jîns a chrys-T.

'Diddorol,' meddai Heulyn, 'mae Lleu wedi dod i'n canrif ni. Mae e'n gwisgo dillad modern.'

Cerddodd Lleu i fyny'r grisiau at y Llyfrgell, a mynd i mewn trwy'r drws. Roedd e mewn neuadd â llawer o bileri ynddi, a swyddog yn sefyll wrth y drws.

O na! Roedd Lleu'n paratoi i ymladd â'r swyddog! Gwasgodd Heulyn y botymau'n frysiog.

'Henffych, gyfaill,' meddai Lleu wrth y swyddog.

Edrychodd y swyddog braidd yn od arno. 'Ydych chi wedi dod i weld yr arddangosfa?' holodd. 'Ewch i fyny'r grisiau a throi i'r chwith.'

'Diolch i ti, gyfaill,' meddai Lleu a cherdded

100

yn ei flaen yn araf ac urddasol. Roedd nifer fawr o luniau ar y waliau, a llawer o bobl yn edrych arnynt. Roedd Cris yn ceisio sylwi'n ofalus ar bopeth rhag ofn y byddai'n gweld y Lleidr Llwyd yn rhywle.

Cychwynnodd Lleu ar ei ffordd i fyny'r grisiau. Yn sydyn, gwaeddodd Cris, 'Rhewa'r sgrin!'

Pwysodd Heulyn y botwm ar unwaith.

'Ro'n i'n meddwl mod i wedi gweld cleddyf yn sgleinio y tu ôl i un o'r pileri yna,' meddai Cris. 'Ond doedd dim byd yno.'

Aeth Lleu yn ei flaen. Gwnaeth Heulyn iddo droi i'r chwith ac i mewn i'r neuadd lle roedd yr arddangosfa. Ar y drws roedd arwydd yn dweud, 'Hanes y Brenin Arthur mewn llun a gair'.

'Rhaid ein bod ni yn y lle iawn, felly,' meddai Heulyn.

Aeth Lleu i mewn. Roedd lluniau hardd a llawysgrifau cain yn yr arddangosfa a cherddodd yn araf o amgylch y stafell. Doedd neb arall yno, a doedd dim sôn chwaith am y Lleidr Llwyd na'r cleddyf, Caledfwlch. Ble yn y byd oedden nhw? Roedd Lleu wedi edrych ar y llawysgrifau a'r lluniau bron i gyd. Roedd e'n sefyll wrth y llun olaf un – llun bach o gastell y Brenin Arthur. Roedd y cefndir yn dywyll, ond yn sydyn

101

meddyliodd Cris ei fod wedi gweld rhywbeth yn symud. 'Rhewa'r sgrin,' gwaeddodd eto.

'Be sy'n bod arnat ti?' meddai Heledd. 'Dyw'r Lleidr Llwyd ddim fan hyn.'

'Ydy, mae e,' meddai Cris. 'Edrych, yng nghornel y llun. Rwyt ti'n gallu gweld ei wisg lwyd e. Ac mae'r cleddyf yn disgleirio yn ei law!'

Ar unwaith, rhoddodd Heulyn orchymyn i Lleu fynd ar ôl y Lleidr Llwyd a neidiodd Lleu yn syth i mewn i'r llun. Roedd fel petai'r llun wedi ei lyncu! Edrychodd o'i gwmpas. Roedd e mewn coedwig dywyll a'r tu ôl iddo roedd y castell.

Yn sydyn, daeth y Lleidr Llwyd i'r golwg yn gwibio rhwng y coed. Dyma Heulyn yn anfon Lleu ar ei ôl. Roedd y Lleidr Llwyd yn rhedeg yn gyflym, ond roedd Lleu'n mynd yn gynt. Trodd y Lleidr Llwyd a rhedeg i mewn i'r castell. Aeth trwy'r porth ac i mewn i'r neuadd, a Lleu ar ei sodlau. Yn y neuadd roedd y Brenin Arthur a'i farchogion yn gwledda. Rhuthrodd y Lleidr Llwyd at y Brenin Arthur, yn barod i'w daro â'r cleddyf! Cymerodd Lleu un naid fawr a thaclo'r Lleidr Llwyd fel petai'n chwaraewr rygbi! Lloriodd ef a chipio'r cleddyf oddi wrtho. Yn fuan roedd Lleu'n penlinio o flaen y Brenin Arthur ac yn cyflwyno'i gleddyf yn ôl iddo.

102

Edrychai Lleu yn rhyfedd iawn yn ei jîns a'i grys-T yng nghanol y marchogion yn eu dillad moethus!

'Hwrê!' gwaeddodd y marchogion eraill i gyd.

'Hwrê!' gwaeddodd Heulyn a Heledd a Cris mor uchel nes deffro Bob. Roedden nhw wedi llwyddo! Roedd Caledfwlch yn ôl yn ddiogel yn nwylo'r brenin.

Ond beth am y Lleidr Llwyd? Roedd dau o'r marchogion mwyaf yn sefyll drosto â blaenau'u cleddyfau'n ei rwystro rhag symud cam. Syllai allan o'r sgrin ar y plant. Roedd ei lygaid yn llawn casineb.

'Ych a fi,' meddai Heulyn, gan ddiffodd y sgrin yn frysiog. 'Mae e'n edrych yn debyg iawn i Barri.'

Roedd Bob wedi cael llond bol ar hyn, a dechreuodd gyfarth er mwyn tynnu sylw Cris. Cofiodd hwnnw fod yn rhaid iddo fynd i siopa i'w fam, ac meddai, 'Mae'n bryd i fi fynd.'

Ar ei ffordd allan, sylwodd ar y llun bach olew o Gastell Efa ar y wal. Rhaid nad oedd Mr Waterman wedi dod i'w nôl eto.

Y noson honno, wth ddadwisgo cyn mynd i'r gwely, cofiodd Cris am y darn bach papur yn ei boced – yr un oedd wedi cwympo allan o gefn y llun o Gastell Efa. Roedd y papur wedi'i blygu'n fach, ond pan agorodd Cris ef gwelodd fod hen sgrifen arno. Doedd y sgrifen ddim yn glir, ond o'r diwedd, llwyddodd Cris i ddarllen y geiriau:

A'r môr a'r tonnau wrth dy gefn
A phlas y deryn uwch dy ben
Os sylli'n galed ar y glwyd
Y deryn aur a ddaw o'i rwyd.

Yn sydyn, fflachiodd syniad i'w feddwl – un o benillion Castell Efa oedd hwn! Dw i wedi dod o hyd i'r ail bennill, meddyliodd yn llawn cyffro. Rhaid i mi ddweud wrth Heulyn ar unwaith. Ffoniodd rif Heulyn, ond doedd dim ateb. Ffoniodd rif Heledd – dim ateb ganddi hithau chwaith. Dyna niwsans! Edrychodd ar y pennill eto a cheisio dyfalu ei ystyr. Ond roedd e wedi blino gormod i wneud llawer o synnwyr ohono. Byddai'n rhaid aros tan y bore.

15

Awst 3   Bore Mercher, deg o'r gloch

Annwyl Mr D,

Mae rhywbeth ofnadwy iawn wedi digwydd.

Wnes i ddim sgrifennu gair neithiwr – ro'n i wedi blino gormod. Yna, yng nghanol y nos, deffrais i'n sydyn wrth glywed sŵn annaearol, 'Hî-hô! Hî-Hô!' Deallais ar unwaith mai Lolipop oedd yn brefu, ac ro'n i'n disgwyl iddo stopio. Ond wnaeth e ddim. Yn fuan dyma fi'n clywed sŵn pobl yn gweiddi ac yn rhedeg. Beth ar y ddaear oedd yn digwydd? Codais o'r gwely a mynd i lawr y grisiau. Roedd Mam wedi codi hefyd, ac aethon ni'n dau i lawr i'r siop ac agor y drws.

Roedd ambiwlans a char heddlu drws nesa, y tu allan i Blas y Golomen.

'Gwell i ni wisgo,' meddai Mam. 'Falle gallwn ni helpu.'

Gwisgon ni'n gyflym a mynd draw, gan adael Bob yn y tŷ. Roedd goleuadau ymhobman, a gwelson ni Heledd yn yr ardd, yn dal rhaff Lolipop. 'Be sy'n bod?' gofynnais.

Roedd llygaid Heledd yn llawn dagrau. 'O Cris,' meddai,

105

'mae rhywbeth wedi digwydd i Heulyn.' A dyma hi'n dechrau crio.

Rhoddodd Mam ei breichiau amdani, ac yn raddol drwy'i dagrau dywedodd Heledd wrthon ni beth oedd wedi digwydd. Roedd hi a'i rhieni wedi clywed sŵn yn y tŷ, yna sŵn Lolipop yn dechrau brefu. Aethon nhw i stafell Heulyn ar y llawr isaf – roedd y ffenest ar agor, a Heulyn ar ei hyd ar y llawr. Roedd e'n anymwybodol, ar ôl i rywun neu rywbeth ei daro ar ei ben.

Wrth i ni wrando ar Heledd, daeth dynion ambiwlans allan o'r tŷ yn cario Heulyn yn ofalus ar stretsiar. Roedd ei lygaid ar gau ac roedd e'n welw ofnadwy. Aeth ei dad gydag ef yn yr ambiwlans.

Safodd ei fam yn ddagreuol yn gwylio'r ambiwlans yn gyrru i ffwrdd. Roedd dau blismon yno. 'Gaf i fynd â chi i'r ysbyty yn y car?' meddai un ohonyn nhw wrthi'n garedig.

Camodd Mam ymlaen atyn nhw. 'Ewch chi, fe wnaiff Cris a fi ofalu am Heledd,' meddai wrthi.

Aeth Mam a fi â Heledd yn ôl gyda ni i Blas yr Wylan, a gwnaeth Mam baned o laeth poeth i bawb. Yna aeth i nôl pentwr o blancedi a gwneud Heledd yn gyfforddus ar y soffa. Ond wnaeth neb ohonon ni gysgu llawer, ac roedden ni i gyd ar ein traed gyda'r wawr.

Yn syth ar ôl codi, ffoniodd Heledd ei mam yn yr ysbyty. Roedd hi'n edrych yn drist ar ddiwedd y

106

sgwrs. 'Dydy Heulyn ddim wedi dod ato'i hun eto,' meddai. 'Dydyn nhw ddim yn gwybod eto faint o niwed mae e wedi'i gael.'

Doedd neb ohonon ni eisiau llawer o frecwast, ond roedd yn rhaid rhoi bwyd i Bob. Roedd e'n sylweddoli bod rhywbeth o'i le. Roedd e'n hoff iawn o Heledd ac roedd e eisiau eistedd ar ei chôl drwy'r amser. Allai Heledd ddim peidio â gwenu. 'Dos o 'ma!' meddai, wrth i Bob lanio ar y soffa yn ei hymyl am y chweched tro.

'Pam nad ewch chi â Bob am dro?' awgrymodd Mam.

I ffwrdd â ni tua'r traeth, Heledd a Bob a fi. Roedd hi'n fore braf, ond doedd dim llawer o hwyl cerdded ar Heledd. Eisteddon ni ar y traeth yn taflu darnau o bren i Bob redeg ar eu hôl. Tynnodd Heledd ei sandalau. 'Ych a fi, maen nhw'n llawn tywod,' meddai. 'Mae'r tywod 'ma fel llwch.'

Ac yn sydyn, cefais syniad. Tywod fel llwch? Llwch y llawr? Wrth gwrs, dyna oedd ystyr llinellau pennill cyntaf Castell Efa:

'Os sefyll wyt ar lwch y llawr
A syllu lan i'r awyr fawr'

Tywod oedd llwch y llawr. Roedd yn rhaid sefyll ar y traeth a syllu lan. Yna dyma fi'n cofio am yr ail bennill. 'Dw i

107

wedi dod o hyd i ail bennill Castell Efa,' dywedais wrth Heledd.

'Wyt ti?' meddai. Doedd dim llawer o ddiddordeb ganddi. Roedd hi'n poeni gormod am Heulyn.

Roedd y darn papur yn dal yn fy mhoced. Dyma fi'n ei dynnu allan ac yn ei ddarllen i Heledd:

A'r môr a'r tonnau wrth dy gefn
A phlas y deryn uwch dy ben
Os sylli'n galed ar y glwyd
Y deryn aur a ddaw o'i rwyd.

Ac yn sydyn ro'n i'n deall. 'Rhaid i ni sefyll ar y tywod,' dywedais, 'a'n cefnau at y môr ac edrych ar – beth? 'Plas y deryn'?

Doedd Heledd ddim yn cymryd rhyw lawer o sylw, ond meddai, 'Plas y deryn? Plas y Golomen neu Blas yr Wylan wyt ti'n feddwl?'

Ro'n i'n llawn cyffro nawr. Rhaid bod y pennill yn sôn am un o'r ddau dŷ! Edrychais arno eto:

Os sylli'n galed ar y glwyd
Y deryn aur a ddaw o'i rwyd.

108

Y glwyd? Doedd dim clwyd o flaen Plas yr Wylan, ond o flaen Plas y Golomen roedd clwyd fawr ddu â bwa drosti – bwa heb ddim rhosod arno bellach. Syllais yn galed ar y glwyd ddu a'r bwa. Do'n i ddim yn gallu gweld unrhyw beth allan o'r cyffredin.

Am siom! Darllenais yr ail bennill eto. Do'n i ddim yn gallu gweld unrhyw gliw arall ynddo o gwbl.

Yn sydyn dyma fy ffôn i'n canu. Mam oedd yno, ac roedd hi'n swnio braidd yn od. 'Dewch adre,' meddai, 'mae 'na blismon fan hyn, ac mae ganddo newyddion rhyfedd . . .'

'Newyddion am Heulyn?' gofynnais ar unwaith.

'Na,' meddai Mam, 'ond gwell i chi frysio.'

Beth yn y byd oedd o'i le nawr? Rhuthrodd Heledd a fi'n ôl i'r tŷ, a dyna lle roedd plismon gyda Mam yn y siop. Roedden nhw'n cael paned o de.

'Dw i wedi cael sioc,' meddai Mam.

'Tad-cu – does dim wedi digwydd i Tad-cu a Mam-gu?' gofynnais yn gyflym.

'Na, dim byd felly,' atebodd Mam. 'Ond dydy Barri ddim wedi dod i'r gwaith heddiw, a nawr mae Cwnstabl Davies yn dweud ei fod e yn swyddfa'r heddlu, wedi cael ei arestio.'

'Ei arestio?' meddai Heledd a fi gyda'n gilydd!

A dyma'r Cwnstabl Davies yn dweud yr hanes. Ar ôl i Heulyn fynd i'r ysbyty neithiwr, roedd yr heddlu wedi chwilio yn y tŷ a'r ardd am gliwiau fyddai'n eu helpu i ddarganfod pwy oedd wedi torri i mewn i Blas y Golomen. Roedden nhw wedi dod o hyd i olion sgidiau yn yr ardd ac olion bysedd ar sil y ffenest, ac yna, yn sièd Lolipop, daethon nhw ar draws waled. Waled Barri oedd hi! A phan aethon nhw i'w fflat, roedd Barri'n gwybod ei bod hi ar ben arno, a dyma fe'n cyfaddef popeth!

Dywedodd fod Ella Higgins wedi gofyn iddo geisio dychryn Tad-cu a Mam-gu er mwyn gwneud iddyn nhw werthu eu tŷ iddi. Barri oedd wedi bod yn gwneud y synau oedd wedi dychryn Mam-gu. Roedd ganddo allwedd i'r siop, a gallai fynd a dod fel y mynnai. Ond roedd e hefyd wedi clywed Tad-cu'n sôn am gyfrinach Castell Efa a dyma fe'n meddwl faint o arian gâi e petai'n dod o hyd i'r trysor a'i werthu. Roedd e'n gwybod bod gan Tad-cu hen lyfr, ac roedd e'n awyddus i'w ddarllen i chwilio am gliwiau. Ond rhaid bod Tad-cu wedi dechrau amau Barri oherwydd roedd e wedi cuddio'r llyfr. Ar ôl i Tad-cu fynd ar ei wyliau, gwelodd Barri ei gyfle i chwilio am y llyfr, ac ef oedd wedi gwneud y llanast yn y siop ychydig ddyddiau'n ôl (er ei fod wedi ceisio beio Bob). Yna dechreuodd feddwl bod Heulyn a Heledd a fi ar drywydd y trysor. Roedd yn amau ein bod ni wedi darganfod rhywbeth pwysig, felly dyma fe'n torri i mewn i Blas y Golomen i geisio cael mwy o wybodaeth. Doedd e ddim yn gwybod bod Heulyn yn cysgu ar y llawr isaf, a doedd e ddim wedi bwriadu gwneud niwed iddo, ond pan ddeffrodd Heulyn a gweld Barri yn ei stafell, roedd

110

Barri wedi gwylltio. Dyma fe'n gwthio Heulyn gan achosi iddo syrthio o'r gwely a tharo'i ben. Yna, pan glywodd Barri sŵn rhieni Heulyn yn dod i weld beth oedd o'i le, ceisiodd ddianc. Meddyliodd y byddai'n well iddo guddio am ychydig a sleifiodd i mewn i sièd Lolipop, ond dyma Lolipop yn dechrau brefu. Dychrynodd Barri a rhedeg i ffwrdd, ond wrth iddo ddianc syrthiodd ei waled o'i boced.

Roedd Heledd a fi'n gwrando'n gegagored ar y Cwnstabl yn dweud yr hanes! Do'n i erioed wedi hoffi Barri, ond roedd hyn yn ofnadwy! Roedden ni'n rhy syn i ddweud gair! Yna'n sydyn canodd ffôn Heledd.

Edrychodd ar y rhif, ac aeth yn welw. 'Mam sy'n ffonio,' meddai a'i llais yn crynu.

Wrth i Heledd wrando ar ei mam yn siarad, gwelais y dagrau'n llenwi ei llygaid. O na! Beth oedd yn bod? Edrychais arni yn ofidus. O'r diwedd, daeth y sgwrs i ben.

Roedd dagrau'n powlio i lawr wyneb Heledd, ond yn sydyn dechreuodd wenu fel giât. Meddai'n gyffrous, 'Mae Heulyn wedi deffro! Er bod ei ben yn brifo, mae rhywbeth gwych wedi digwydd! Mae teimlad ganddo yn ei goesau! Mae'r meddygon yn meddwl efallai y bydd e'n gallu cerdded eto!'

Dyna ddathlu fu wedyn! Roedd Mam a Heledd yn crio a chwerthin ar yr un pryd, ac roedd Bob a finnau'n dawnsio o gwmpas fel pethau gwyllt. A chwarae teg i'r plismon, fe wnaeth e ysgwyd llaw â ni i gyd, a gwên fawr ar ei wyneb!

111

Dyna pam dw i'n sgrifennu ganol y bore fel hyn, Mr D. Ar ôl yr holl gyffro, roedd Heledd wedi blino'n lân ac mae hi'n cysgu ar y soffa. Do'n i ddim eisiau cysgu, ond ro'n i eisiau dweud popeth wrthyt ti.

A dw i newydd feddwl am rywbeth arall, Mr D. Mae'r ddau bennill gen i o mlaen, a dw i 'di cael syniad – syniad anhygoel! Dw i'n gobeithio y bydd Heledd yn deffro cyn bo hir, achos dw i eisiau iddi fy helpu i. Dw i'n meddwl mod i'n gwybod ble mae'r trydydd pennill!

Mr D, dw i'n meddwl mod i'n mynd i ddatrys cyfrinach Castell Efa!

16

Rhagor o newyddion da

Bob oedd yr un wnaeth ddeffro Heledd. Roedd hi'n cysgu'n dawel ar y soffa, a Bob wedi bod allan yn yr ardd gefn. Ond yna rhuthrodd i mewn a mynd draw ati'n syth.

'Paid, Bob!' gwaeddodd Cris, ond yn rhy hwyr! Neidiodd Bob ar y soffa a thrio llyfu wyneb Heledd.

Deffrodd hithau ar unwaith, ond doedd dim ots ganddi. Roedd hi'n rhy hapus! 'Ew! Dw i'n llwgu,' meddai ar ôl i Cris lwyddo i dawelu Bob.

Gwnaeth Cris a Heledd blataid mawr o frechdanau a mynd â rhai i lawr i Mam yn y siop. Roedd Mam ar ei phen ei hun yno bellach, gan fod Barri yn y ddalfa.

'Bydd yn rhaid i fi drio trefnu i gael rhywun i helpu yn y siop,' meddai'n ofidus. 'Mae'n ormod o waith i Tad-cu ar ei ben ei hun.'

'Byddai Dad yn fodlon helpu,' meddai Heledd. 'Mae e wedi colli'i swydd, ac mae e'n chwilio am waith.'

'Hm, syniad da,' meddai Mam. 'Rhaid i fi gael sgwrs â dy dad. Beth ydych chi'ch dau'n bwriadu'i wneud heddiw?'

'Dw i wedi cael syniad,' meddai Cris. Trodd at Heledd. 'Ydy Mr Waterman wedi dod i nôl y llun olew o Gastell Efa eto?'

'Na, ddim eto,' atebodd Heledd.

'Gaf i ei weld e?' gofynnodd Cris.

'Wrth gwrs, ond rwyt ti wedi'i weld e o'r blaen,' meddai Heledd yn syn.

Eglurodd Cris. 'Pan oeddet ti'n cysgu, ces i syniad. Mae'r trydydd pennill ar goll o hyd. Roedd yr ail bennill wedi'i guddio y tu ôl i'r llun o'r castell oedd yn nhŷ Tad-cu, sef Plas yr Wylan. Dw i'n meddwl falle bod y trydydd pennill y tu ôl i'r llun o'r castell sy ym Mhlas y Golomen!'

Roedd llygaid Heledd fel soseri. Rhuthrodd y ddau, a Bob wrth gwrs, drws nesa i Blas y Golomen ac yn syth i stafell Heulyn. Gwyliodd Cris a Bob wrth i Heledd estyn y llun i lawr yn ofalus oddi ar y wal.

'Rhaid i fi edrych rhwng cefn y ffrâm a'r llun,' meddai Cris.

114

'Bydd yn ofalus,' meddai Heledd – ond yn rhy hwyr! Crac! Roedd rhan flaen y ffrâm wedi dod yn rhydd oddi wrth y cefn. O na! Ar yr un pryd, syrthiodd darn bach o bapur i'r llawr – hen bapur oedd wedi melynu. Roedd y papur wedi'i blygu'n bedwar.

Neidiodd Bob am y papur, ond roedd Heledd yn rhy gyflym iddo. Cododd ef a'i agor yn wastad ar ddesg Heulyn er mwyn iddi hi a Cris edrych arno'n ofalus. Roedd pedair llinell o sgrifen ar y papur.

'Rhaid mai hwn yw'r trydydd pennill!' meddai Heledd yn gyffrous.

Roedd y sgrifen yn aneglur ac yn anodd ei deall, ond o'r diwedd llwyddon nhw i ddarllen y pennill:

Dyma'r dydd a dyma'r awr
   Ganol dydd, rhaid edrych nawr,
O'r wythfed mis a'r trydydd dydd
   A'r deryn aur fydd eto'n rhydd.

Roedd llygaid Cris yn disgleirio. 'Dyma'r darn olaf o'r pos,' meddai. 'Dw i'n deall popeth nawr.

115

Rhaid i ni sefyll â'n cefnau at y môr ac edrych i fyny at glwyd Plas y Golomen ar yr union amser yma. Yr wythfed mis yw mis Awst. Ar y trydydd o Awst . . .'

Torrodd Heledd ar ei draws. 'Ond heddiw *yw*'r trydydd o Awst!' gwaeddodd.

'Am hanner dydd . . . Faint o'r gloch yw hi nawr?' Edrychodd Cris ar ei watsh. 'Hanner awr wedi un ar ddeg!'

Roedd Bob yn eistedd ar y llawr a'i ben yn symud fel pendil wrth geisio edrych ar Cris a Heledd. Roedd yn gwbl amlwg fod rhywbeth pwysig ar droed fan hyn! Siaradodd Cris a Heledd ar draws ei gilydd.

'Rhaid i ni fynd i lawr i'r traeth ar unwaith . . .'

'A sefyll lle roedden ni'n sefyll bore 'ma . . .'

I ffwrdd â nhw ar garlam, a Bob yn dynn wrth eu sodlau.

Am bum munud i hanner dydd, safai'r ddau yn yr union fan lle roedden nhw'n sefyll yn gynharach y bore hwnnw. Dechreuon nhw syllu'n galed ar glwyd Plas y Golomen â'r bwa uwch ei phen. Roedd yr haul wedi mynd y tu ôl i gwmwl, ac roedd awel fain yn chwythu.

'Be wyt ti'n meddwl sy'n mynd i ddigwydd?' gofynnodd Heledd.

116

'Does gen i ddim syniad,' atebodd Cris. 'Jyst gwylia'n ofalus!'

Aeth pum munud heibio. Edrychodd Heledd ar ei watsh. 'Mae'n ganol dydd,' meddai. Syllodd y ddau'n galed ar y glwyd a'r bwa haearn du. Roedd llygaid Cris yn dechrau blino. Rhaid mod i wedi gwneud camgymeriad, meddyliodd yn ddiflas. Ro'n i mor siŵr mod i'n iawn, ond does dim byd yn digwydd. Dylwn i fod wedi ffonio Tad-cu, neu . . .

Ar waethaf yr awel, teimlodd ei hun yn dechrau chwysu. Roedd ei gefn yn gynnes hefyd. Roedd yr haul wedi ymddangos eto o'r tu ôl i'r cwmwl.

'Edrych!' sibrydodd Heledd yn sydyn. 'Wyt ti'n gweld rhywbeth?'

'Na, dim byd . . .' Yna, yn sydyn, ar bwynt uchaf y bwa, uwchben y rhwydwaith haearn du, roedd yr haul yn gwneud i rywbeth ddisgleirio – disgleirio fel aur. Roedd e'n edrych yn debyg i aderyn . . .

'Dyna fe,' gwaeddodd Heledd. 'Dyna'r deryn aur! Mae'r haul wedi dangos y deryn aur i ni!' Dechreuodd ddawnsio o gwmpas yn wyllt.

'Wyff! Wyff!' cyfarthodd Bob yn hapus. Doedd ganddo ddim syniad beth oedd yn digwydd, ond roedd hyn yn hwyl!

Safodd Cris yn llonydd am amser hir, heb ddweud gair, yn gwylio'r deryn aur yn disgleirio yn yr haul ar ben y bwa. O'r diwedd roedd y deryn wedi dianc o'i rwyd ac yn hedfan yn rhydd . . .

Y noson honno roedd 'na un claf hapus iawn yn Ysbyty Llanadar. Roedd Heulyn yn gwenu fel giât, er ei fod yn welw ac yn flinedig, ac roedd ei lygaid yn disgleirio. O'i gwmpas roedd criw o bobl a phob un ohonyn nhw hefyd yn edrych yn hapus! Ar un ochr i'r gwely eisteddai ei fam a'i dad a'r ochr arall eisteddai Heledd a Cris.

'Mae'n ffantastig!' meddai Heulyn drosodd a throsodd. 'Mae'r deryn aur o Gastell Efa wedi bod yn gorwedd yn guddiedig ar ben yr hen fwa 'na drwy'r amser!'

'Ydy, mae'n anodd credu,' meddai ei dad. 'Ac roedd y cliw ola yn y llun olew 'na sy wedi bod dan ein trwynau ni drwy'r amser hefyd!'

'Ond cofia, Mam,' meddai Heledd, 'oni bai bod Lolipop wedi bwyta'r rhosod, fydden ni byth wedi dod o hyd i'r deryn heddiw.'

Chwarddodd ei mam, 'Na,' meddai, 'chwarae teg i Lolipop! A finnau wedi ei ddwrdio cymaint hefyd!'

'Be fydd yn digwydd i'r deryn aur?' holodd Heulyn.

'Mae Mam wedi ffonio Tad-cu,' meddai Cris, 'ac mae e'n adnabod rhywun sy'n arbenigwr ar hen gerfluniau aur. Mae'n dod i weld y deryn fory. Does neb yn gwybod eto pwy sy'n berchen arno.' Gwenodd. 'Mae Tad-cu a Mam-gu wrth eu bodd. Maen nhw'n mynd i ddod adre fory. Dywedodd Mam nad oedd angen iddyn nhw ddod, ond mae Mam-gu'n hen barod i ddod adre, meddai hi. Mae hi'n teimlo'n llawer gwell nawr.'

'Cris,' meddai Heulyn, 'wyt ti wedi gweld hwn?' Ar y gwely o'i flaen roedd copi o rifyn y noson honno o'r papur dyddiol.

Ar y ddalen flaen roedd pennawd mewn llythrennau bras, 'DYN LLEOL YN Y DDALFA'. O dan y pennawd roedd llun o Barri'n mynd i mewn i swyddfa'r heddlu rhwng dau blismon cyhyrog. Edrychai Barri'n sur fel arfer, a'i wallt yn hongian yn llipa dros ysgwyddau ei siwmper lwyd.

Edrychodd Cris ar yr erthygl.

'Ro'n i'n amau Barri o'r dechrau,' meddai Cris. 'Ac roedd Mam-gu'n ei ofni.'

'Do'n i ddim yn ei hoffi chwaith,' meddai Heledd. 'Roedd e'n cwyno am Lolipop o hyd.'

'A Lolipop wnaeth ei ddychryn a gwneud iddo ollwng ei waled,' meddai Cris gan chwerthin. 'Dyna sut cafodd yr heddlu afael arno mor sydyn.'

'Dw i wedi bod yn meddwl,' meddai Heulyn. 'Ers ddoe, ry'n ni wedi dal dau Leidr Llwyd!'

Chwarddodd y plant, ond doedd rhieni Heledd a Heulyn ddim yn deall y jôc. Cyn i Heulyn gael cyfle i egluro, torrodd Heledd ar ei draws.

120

'Wyt ti wedi dweud dy newyddion di wrth Heulyn, Dad?' holodd.

Edrychodd Heulyn ar ei dad a gwenodd yntau.

'Fe ges i sgwrs â mam Cris heddiw,' meddai. 'Roedd hi'n gofidio na fydd gan ei thad neb i'w helpu yn y siop ar ôl iddi hi a Cris fynd adre. Gofynnodd a fyddwn i'n fodlon mynd i weithio yno.' Gwenodd. 'Dw i'n edrych ymlaen,' meddai. 'Mae gen i ddiddordeb mawr mewn hen bethau, a galla i helpu i atgyweirio pethau hefyd.'

'Pan fydd pawb yn gwybod bod trysorau o'r siop yn ymddangos yn y ffilm, bydd cwsmeriaid yn tyrru yno,' meddai Heledd.

'Grêt!' Roedd Heulyn wrth ei fodd. 'Ond ble mae dy fam heno, Cris?' gofynnodd.

'Mae hi wedi aros yn y fflat i ofalu am Bob,' meddai Cris. 'Mae bywyd yn Llanadar yn rhy gyffrous i Bob, ac mae e'n cysgu'n drwm yn ei fasged!'

Meddai mam Heulyn gan chwerthin, 'Dw i'n gwybod yn iawn sut mae Bob yn teimlo. Barri'n torri i mewn i'r tŷ, yr heddlu ar hyd y lle ymhobman, dod o hyd i'r deryn aur . . . dwn i ddim, wir. Dw i erioed wedi cael diwrnod mor gyffrous! Ond y peth mwya pwysig,' aeth ymlaen gan wenu ar Heulyn, 'yw dy fod ti'n gwella.'

Edrychodd Heulyn arni. 'Paid â phoeni, Mam,' meddai'n gadarn, 'dw i'n teimlo'n grêt a dw i'n mynd i weithio'n galed ar fy ymarferion. Cyn bo hir fe fydda i'n cerdded yr holl ffordd i Gastell Efa!'

17

Rhagfyr 24

Annwyl Mr D,

O'r diwedd dw i wedi dy gael di'n ôl! Ar ddiwedd gwyliau'r haf, aeth Mam a fi i'r Eidal i weld Dad. Cafodd Bob aros yn Llanadar, gyda Tad-cu, Mam-gu, Heledd a Heulyn yn edrych ar ei ôl ac yn gwneud ffŷs fawr ohono! Roedd cymaint i'w egluro am bopeth oedd wedi digwydd ac fe ddywedais i wrtho, 'Dw i'n mynd i adael Mr D gyda ti, ac fe gei di ddarllen y cwbl.' Nawr mae Dad wedi dod adre dros wyliau'r Nadolig ac mae e wedi dod â ti'n ôl yn saff.

Dw i'n sgrifennu unwaith eto yn fy stafell wely dan y to ym Mhlas yr Wylan. Mae hi'n Noswyl y Nadolig ac yn hwyr iawn. Ond dw i'n teimlo'n llawer rhy effro i feddwl am fynd i gysgu!

Ry'n ni wedi dod yma i dreulio'r Nadolig gyda Tad-cu a Mam-gu, a hynny am reswm pwysig iawn.

Dyma'r rheswm – heno roedd dangosiad arbennig o'r ffilm 'Cyfrinach y Castell' yn Llanadar ar gyfer pobl y dre a phawb oedd wedi cymryd rhan ynddi. Roedden ni i gyd

123

yno, yn eistedd mewn un rhes gyda'n gilydd – Dad a Mam, Tad-cu a Mam-gu, Heulyn a Heledd a'u rhieni a Bob a fi. Roedd Bob wedi cael gwahoddiad arbennig, sef neges wedi'i hysgrifennu yn llawysgrifen Mr Waterman ei hun! Roedd tyrfa fawr yn y sinema, ac yn y rhes flaen eisteddai Mr Waterman, Sam Santana a Brud Gwenlli. Cododd Sam Santana'i law yn serchog arnon ni wrth iddo ddod i mewn, ond hwyliodd Brud Gwenlli heibio â'i thrwyn yn yr awyr heb edrych ar neb, gan afael yn dynn ym mraich Sam.

Ro'n i wrth fy modd yn gweld Heulyn a Heledd eto. Mae Heulyn yn gallu cerdded yn reit dda erbyn hyn. Rydyn ni i gyd yn mynd i dreulio Dydd Nadolig gyda'n gilydd. Mae tad Heulyn yn gweithio gyda Tad-cu yn y siop, ac maen nhw'n ffrindiau mawr. Mae'n dda bod gan Tad-cu rywun i'w helpu, achos mae'r ffilm a darganfod y trysor wedi dod â llawer o sylw i'r ardal ac mae pobl yn tyrru i'r siop! Mae Mam-gu wrth ei bodd hefyd, oherwydd mae yna sôn y bydd Tad-cu'n ymddeol yn fuan ac yn gwerthu'r busnes i rieni Heulyn. Bydd Tad-cu a Mam-gu'n dal i fyw yn y fflat uwchben y siop, a bydda i'n gallu dod i aros atyn nhw.

Beth bynnag, dyma oleuadau'r sinema'n diffodd a'r ffilm yn dechrau. Sut alla i ddisgrifio'r ffilm? Roedd hi'n wych! Roedd sylw pawb wedi'i hoelio ar y sgrin o'r cychwyn cyntaf. Gan fod llawer o bobl leol wedi bod yn cymryd rhan yn y ffilm, roedden nhw'n cael hwyl yn gweld eu hunain

124

yn actio. Roedd Tad-cu wrth ei fodd yn gweld y pethau o'i siop yn ymddangos yn y cefndir, yn enwedig y cwpwrdd cornel bach roedd Mr Waterman wedi'i brynu. Gwelais y llun olew bach o Gastell Efa uwchben y lle tân. Wrth edrych yn graff, sylwais mai bachgen oedd yn y llun weithiau a merch dro arall. Ond wnaeth neb arall sylwi fod y lluniau wedi cael eu cyfnewid yng nghanol y ffilmio, ac mae tad Heulyn wedi atgyweirio'r ddwy ffrâm nawr.

Roedd Sam Santana'n wych – yn urddasol a bonheddig ac yn actio rhan Syr Tomos i'r byw. Gwelais i Heledd yn gwneud ei rhan yng nghanol y merched eraill. Ond roedd dwy olygfa ro'n i'n awyddus i'w gweld yn fwy na dim byd arall. Daeth yr olygfa gyntaf, lle roedd Bob yn rhedeg ar draws y buarth at Syr Tomos. Am siom! Dim ond cip ohono gawson ni, yna gwibiodd y camera'n ôl at Syr Tomos ei hun. Ond meddai Mam-gu yn fy nghlust, 'Roedd Bob yn wych, on'd oedd e?' Chwarae teg iddi!

Yna daeth yr ail olygfa. A'r tro yma, Bob oedd y seren. Canolbwyntiodd y camera arno'n rhedeg ar draws y neuadd, yna'n eistedd ac yn gosod ei bawen ar lin Sam Santana. Roedd llun agos o Sam yn gafael ym mhawen Bob a hwnnw'n syllu i lygaid Sam. Roedd e'n ffantastig!

Roedd llawer o sôn yn y ffilm am gyfrinach Castell Efa ac am y trysor, sef deryn aur Syr Tomos. Ar y diwedd daeth paragraff ar y sgrin. 'Yn ystod y ffilmio, wedi iddo fod ar goll am dros ganrif, daeth y deryn aur i'r golwg

125

unwaith eto. Diolch i Cris Tomos a Heulyn a Heledd Philips am ddatrys dirgelwch Castell Efa.' Do'n i ddim yn disgwyl hynna! Roedd pawb yn curo dwylo ac yn edrych draw arnon ni!

Ar ôl y ffilm roedd parti mawr, a'r lle'n orlawn. Eisteddais i gyda Heulyn a Heledd, a Bob wrth ein traed. Do'n i ddim wedi cael cyfle i gael sgwrs iawn â nhw, oherwydd dim ond jest cyrraedd Llanadar mewn pryd wnaethon ni i fynd i weld y ffilm. Roedd gen i lawer i'w ofyn iddyn nhw.

'Ble mae'r deryn aur erbyn hyn?' gofynnais.

'Yn yr amgueddfa yn Abermelyn,' atebodd Heledd. 'Roedd Mam a Dad yn ofni y byddai rhywun yn ei ddwyn pe baen nhw'n ei adael lle roedd e. Rhaid i ti fynd i'w weld cyn i ti fynd adre. Does neb yn siŵr pwy sy'n berchen arno fe.'

'A beth yw hanes Barri?'

'Hy, aeth Barri i'r llys a'i gael yn euog wrth gwrs. Mae e yn y carchar erbyn hyn.'

Edrychais draw ar Mam-gu, oedd yn sgwrsio'n hapus â mam Heulyn. Roedd yr olwg ofidus wedi diflannu'n llwyr o'i hwyneb. Hen fwgan oedd Barri biwis, meddyliais. Yn sydyn, dyma fi'n cofio am rywun arall.

'A beth am Ella Higgins?'

'Ych a fi, Ella Higgins,' meddai Heulyn. 'Does neb wedi clywed siw na miw amdani ers misoedd. Collodd ei swydd gyda Chwmni'r Carw – doedd ganddyn nhw ddim syniad

126

ei bod hi'n gwneud y pethau cas 'na. Maen nhw'n dweud ei bod hi wedi symud i ffwrdd i rywle, ac mae'r cwmni wedi rhoi'r gorau i'r syniad o adeiladu fflatiau yn Llanadar.'

Roedd Bob wedi blino eistedd wrth fy nhraed i. Aeth draw at Heulyn, a rhoddodd hwnnw ddarn o frechdan ham iddo. Llowciodd Bob y frechdan ac eistedd wrth draed Heledd gan obeithio am ddarn arall.

Chwerthin wnaeth Heulyn. 'Beth am i ni'n tri a Bob fynd am dro i'r traeth ar ôl cinio Nadolig fory?' awgrymodd.

Yn sydyn, curodd Mr Waterman ei ddwylo.

'Gyfeillion,' meddai, 'dw i am ddiolch i bob un ohonoch chi sy'n bresennol yma heno am eich gwaith ar ffilm "Cyfrinach y Castell". Fel y gwyddoch, mae'r ffilm yn cael ei rhyddhau i'r cyhoedd dros wyliau'r Nadolig, ac rydyn ni'n ffyddiog y bydd hi'n boblogaidd. Mae'r holl gyhoeddusrwydd am ddod o hyd i'r deryn aur wedi bod yn help mawr i ni. Diolch yn fawr i'r tri chyfaill ifanc.' Edrychodd draw aton ni'n eistedd yn y gornel a dechreuodd pobl guro dwylo. Aeth ymlaen ac ymlaen. Ro'n i'n teimlo fy hun yn gwrido hyd fôn fy ngwallt, ac roedd wynebau Heledd a Heulyn fel tomatos hefyd.

Yna cododd Sam Santana ar ei draed.

'Edrycha mor smart yw e,' sibrydodd Heledd. 'Trueni bod Brud Gwenlli o'i gwmpas e o hyd. Chawn ni ddim cyfle i siarad ag e.'

Gwnaeth Sam araith fach glyfar yn diolch i bawb am

127

eu gwaith ar y ffilm. Yna meddai, 'Ond cyn gorffen, rhaid i mi sôn yn arbennig am un o'm cyd-actorion. Roedd yn bleser o'r mwyaf cael cyfle i gydweithio.'

Roedd Brud Gwenlli'n sefyll wrth ochr Sam, yn wên o glust i glust ac yn amlwg yn meddwl mai sôn amdani hi roedd e.

Chymerodd Sam ddim sylw ohoni. Trodd tuag at y gornel lle roedden ni'n eistedd. 'Bob,' meddai, gan godi'i wydryn i'n cyfeiriad, 'roeddet ti'n wych!'

Dyma Heledd yn rhoi pwniad i fi. 'Edrycha ar wyneb Brud Gwenlli,' sibrydodd. 'Mae hi o'i cho!'

'Cris a Bob,' meddai Sam, 'dewch draw ata i.' A dyma ni'n dau'n gorfod codi a cherdded o flaen pawb i'r llwyfan at Sam Santana. Dyma Sam yn ysgwyd llaw â fi. Yna meddai wrth Bob. 'Eistedd!' Eisteddodd Bob. 'Pawen,' meddai Sam. Rhoddodd Bob ei bawen yn llaw Sam Santana.

Fflachiodd dwsinau o gamerâu. 'Hwrê! Hwrê!' gwaeddodd pawb. Edrychais draw ar Heulyn a Heledd. Roedden nhw ar eu traed yn gweiddi'n uwch na neb.

Wna i byth anghofio'r flwyddyn hon. Ac os ydw i'n anghofio rhywbeth, bydda i'n dod atat ti, Mr D, achos rwyt ti'n cadw'r cyfan yn ddiogel i fi.

Diolch, Mr D!

Nos da.

128